JANUSZ L.
WIŚNIEWSKI

MOLEKUŁY EMOCJI

JANUSZ L. WIŚNIEWSKI

MOLEKUŁY EMOCJI

Wydawnictwo Literackie

Obraz pozorny

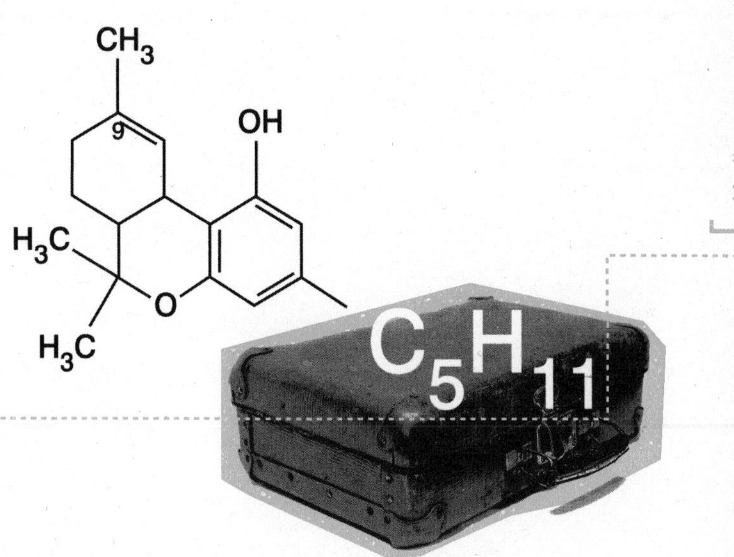

Marihuana

Marisette ma trzydzieści sześć lat, nieślubne dziecko, kilka rumuńskich książek i wspomnienia. Mieszka z córką w jednopokojowym mieszkaniu na trzecim piętrze nie otynkowanego, cuchnącego stęchlizną bloku przy alei Rewolucji 48. Ta nazwa jest bardzo myląca, gdyż „aleja" ma ze dwa metry szerokości, żadnych poboczy, nie mówiąc już o chodnikach. Poza tym na Seszelach nigdy nie było żadnej rewolucji. Nawet seksualnej. Nie było potrzeby. W kraju, w którym większość wierzy, że nawet rozdzielnopłciowe palmy (Coco de Mer) kochają się z sobą, zanim wyrosną na nich orzechy kokosowe, przypominające wypięte kobiece pośladki, rewolucja seksualna jest czymś abstrakcyjnym i zbędnym.

Tuż obok bloku, pomiędzy cmentarzem i osiedlowym sklepikiem, prowadzonym przez jednorękiego

Hindusa, przepływa rwący potok. Nie ma oficjalnej nazwy, chociaż wszyscy nazywają go Bel Air. Płynie z gór wzdłuż linii wyznaczonej przez ogromne granitowe głazy i kilka kilometrów dalej uchodzi do Oceanu Indyjskiego.

Marisette co drugi dzień, gdy słońce chowa się za palmami rosnącymi na cmentarzu, podnosi spódnicę do połowy ud, spina agrafką, wchodzi do potoku, stawia na wyszlifowanej wodą i okiem czasu powierzchni granitowego głazu plastikowe wiadro z brudnymi ubraniami i pierze. Czasami zbłądzą tu turyści, odwiedzający cmentarz po drugiej stronie asfaltowej szosy. Widząc ją, zatrzymują się na mostku, przypatrują uważnie, szepczą do siebie zaintrygowani i nieśmiało wyciągają aparaty fotograficzne. Kobieta piorąca w potoku na początku XXI wieku jest większą atrakcją niż pokazywana na okładkach wszystkich przewodników wygięta ku oceanowi palma, rosnąca na plaży Takamaka na południu wyspy. Słysząc szepty, Marisette podnosi powoli głowę i uśmiecha się. Na Seszelach wszyscy powinni się uśmiechać do turystów. Nawet wtedy, gdy tak naprawdę chce im się płakać. To jest politycznie bardzo poprawne i ma świadczyć o patriotyzmie. Turyści są bowiem największym skarbem Seszeli i mają się tutaj czuć jak w raju, a w raju wszyscy są przecież radośni i uśmiechnięci. Inaczej przestaną tutaj przyjeżdżać i zaczną wydawać swoje pieniądze na pobliskim Mauritiusie. Tak mówi w telewizji prezydent, który w raj wierzyć nie powinien, ponieważ jest lewackim opalonym socjalistą i mało wie o życiu tutaj, bo albo jest na Kubie, albo w Korei Północnej, albo w Chinach. Nikt inny go nie zaprasza.

Marisette wierzy w prawdziwy raj, ponieważ jest katoliczką. Z tego, że ma nieślubne dziecko, już dawno się wyspowiadała i bez problemu dostała rozgrzeszenie. Na Seszelach dziewięćdziesiąt procent ludności to praktykujący katolicy, którzy w większości praktykują także wudu — nakłuwają szpilkami lalki, gdy się nieszczęśliwie zakochają lub nie mają na czynsz. Gdy zakochają się o jedną obietnicę za późno, to dodatkowo idą do spowiedzi. Z zalegania z czynszem — traktowanego tutaj jako grzech — się nie spowiadają. Gdyby tak było, to pół Seszeli stałoby w kolejkach do konfesjonału. Dekalog rozumie się tutaj zupełnie inaczej i być może dlatego trzy czwarte dzieci rodzących się na tych wyspach jest nieślubnych. Kościół się dostosował. Wudu przemilcza, a dzieci chrzci — ślubne w niedzielę, nieślubne w piątki. W ten sposób w niedzielę zmęczeni porannymi mszami księża mają dużo mniej pracy.

W bloku Marisetty tylko Esmeralda z pierwszego piętra ma dzieci ze swoim mężem i ochrzciła je w niedzielę. Pewnie dlatego ciągle chodzi taka smutna.

Antoinette urodziła się rok po tym, jak Marisette poznała Antona. Sprzątała wtedy restaurację w nowym porcie i któregoś dnia po prostu wstąpił tam napić się piwa. Zszedł z rumuńskiego statku i postanowił nie wracać, gdy zastrzelili Ceauşescu. Nie miała pojęcia, kto to był Ceauşescu, i nigdy nie słyszała o Rumunii. Anton był biały, mówił po francusku i nie traktował jej jak prostytutki. Przez tydzień przychodził do restauracji wieczorem i pomagał jej sprzątać, czego nigdy nie zrobiłby żaden mężczyzna na Seszelach. Któregoś razu pojechali do restauracji w hotelu Le Meridian, gdzie kolacja kosztuje więcej, niż ona zarabia w miesiąc sprzątaniem. Nikt nie obiecywał, że raj jest tani. Po kolacji spacerowali wśród granitowych głazów na plaży Beau Vallon. Usiadła na małym kamieniu. Stanął przed nią i się rozebrał. Miała jego brzuch na wysokości ust. Wyjechał tuż przed narodzinami Antoinette. Z Seszeli wszyscy wyjeżdżają. Bo to jest taki raj najwyżej na trzy tygodnie. Opalić się, zrobić zdjęcia, wysłać widokówki do znajomych, których się nie lubi, wejść na palmę, dotknąć żółwia i potem opowiadać, że było się na urlopie pod równikiem za cztery tysiące euro. Zostają długi, wspomnienia i zdjęcia w aparacie. Po nim ma Antoinette i kilka książek o Rumunii. Adresu jednak nie zostawił. Nigdy też nie powiedział, jak się nazywa.

— Dlaczego nie zrobił pan zdjęć? Wszyscy robią. Był pan kiedyś w Rumunii? — słyszę za sobą głos Marisette...

Funkcja istnienia

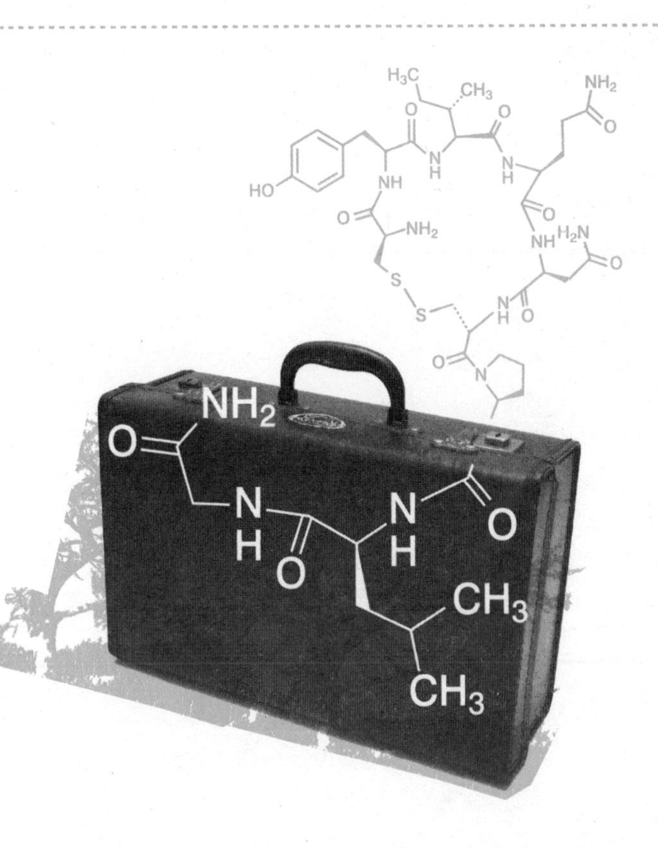

Elfriede ma osiemdziesiąt dwa lata i do niedawna bardzo chciała umrzeć...

Mieszka w małym domu z zaniedbanym ogródkiem na przedmieściach Frankfurtu. Wychowali z mężem dwóch synów, z których Elfriede jest bardzo dumna. Jeden jest inżynierem i buduje hotele w Dubaju, drugi, Krystian — ten młodszy — jest dziennikarzem w znanej niemieckiej gazecie i gdy akurat nie podróżuje, mieszka w Berlinie. Osiem lat temu zmarł jej mąż i została sama. Pamięta, że odkąd chłopcy wyprowadzili się z domu, zawsze bardzo chciała umrzeć przed mężem. Od dawna choruje na serce i w duchu trochę liczyła, że „przez to serce ona odejdzie pierwsza". Nie udało się. Przez „to serce" zdarza się jej czasami, że mdleje. Ostatnio spadła z betonowych schodów prowadzących do piwnicy i złamała rękę w dwóch miejscach. W szpitalu złożyli jej kości, założyli gips i wszyli rozrusznik serca. W dniu, w którym wypisywali ją ze szpitala, Krystian wziął urlop, przyleciał z Rzymu i długo rozmawiał z lekarzem. Potem wsiadł z matką do samochodu i pojechali szukać dla niej miejsca w domu starców...

Starała się bardzo, aby nie zauważył, że płacze. On jeszcze bardziej starał się udawać, że nie zauważa. Wie, że ona nie może wrócić do domu. Nie potrafiłaby się nawet ubrać sama rano. Krystian nie może zabrać jej do Berlina. Zresztą on nie ma tam nawet mieszkania. Gdy wraca, to mieszka albo u przyjaciółki, albo w hotelu. Andreas nie wróci dla niej z Dubaju. Cieszy się, gdy zadzwoni do niej w dniu urodzin. Swoich urodzin. O jej urodzinach nie pamięta. Usprawiedliwia go, bo przecież jest bardzo zajęty, ale boli ją to bardzo. Pamięta jak dzisiaj dzień jego urodzin. To przecież jej pierworodny. Pamięta też, że jako niemowlę Andreas zachorował na zapalenie opon mózgowych po szczepionce przeciwko gruźlicy. Przez trzy miesiące mieszkała w szpitalu, śpiąc na kozetkach lekarzy i pielęgniarek. Po pewnym czasie wszyscy byli pewni, że tam pracuje...

Najpierw pojechali do „Lupine", domu starców, który lekarz polecił jako „najbardziej godny uwagi". Przechadzali się powoli korytarzami pokrytymi wypastowanym szarym linoleum. Nawet Krystian zauważył, że śmierdzi tam moczem i lekarstwami. Zaglądali do pokoi z otwartymi drzwiami. W jednym z nich na metalowym szpitalnym łóżku siedziała staruszka podobna do niej. Głowę położyła na blacie stołu i nie ruszała się. Krystian złapał Elfriede za rękaw płaszcza i pociągnął w kierunku drzwi wyjściowych.

Z „Lupine" pojechali do „Rezydencji Seniorów". Budynek z daleka wyglądał jak ekskluzywny hotel. Recepcja w wyłożonym marmurami holu. Dywany na schodach prowadzących na piętra „rezydencji". Krystian uśmiechnął się tego dnia pierwszy raz. Uwielbia, gdy Krystian się uśmiecha. Gdy był jeszcze dzieckiem, czasami wstawała w nocy, szła do pokoju chłopców i patrzyła, jak uśmiecha się we śnie...

W wytwornym gabinecie przyjęła ich dyrektorka mówiąca z francuskim akcentem. Siedzieli w skórzanych fotelach i słuchali: „W naszym obiekcie dba się o to, aby nasi goście starzeli się z godnością. Ze specjalną uwagą dobieramy personel. Doniesienia mediów, że pacjenci w instytucjach takich jak nasza umierają z niedożywienia, uszkodzenia organów na skutek przedawkowania środków uspokajających lub złego traktowania całkowicie mijają się z prawdą. My zapewniamy najwyższy standard usług...".

Nie chce się starzeć. Tym bardziej z „godnością". Cokolwiek to znaczy. Ona nie może już bardziej się zestarzeć. Jest już przecież stara. Bardzo stara. Poza tym nie chce być żadnym „pacjentem" i nie chce żadnych „usług". Nie jest wcale chora. Jest tylko stara. Jak słyszy te dwa słowa „starość" i „godność", to chciałaby wyrwać z piersi rozrusznik i natychmiast umrzeć. Tam, w skórzanym fotelu, w gabinecie tej aroganckiej, zadowolonej z siebie kobiety też natychmiast chciała umrzeć.

Krystian nie dał skończyć dyrektorce. Zerwał się gwałtownie z fotela. Był bardzo zdenerwowany. Doskonale rozpoznaje, kiedy Krystian się denerwuje. Marszczy wtedy czoło, mruży oczy i drży mu prawa ręka. Gdy odprowadzała go pierwszy raz do szkoły, to przez całą drogę ściskała jego dłoń. Do dzisiaj pamięta to drżenie... Pospiesznie pomógł jej wydostać się z fotela. Wyszli bez słowa. Pojechali prosto na lotnisko. Zabrał ją do Rzymu. Po kilku dniach wrócili. Razem. Krystian poprosił o przeniesienie do Frankfurtu.

Pierwszy raz w życiu leciała samolotem. Było wspaniale...

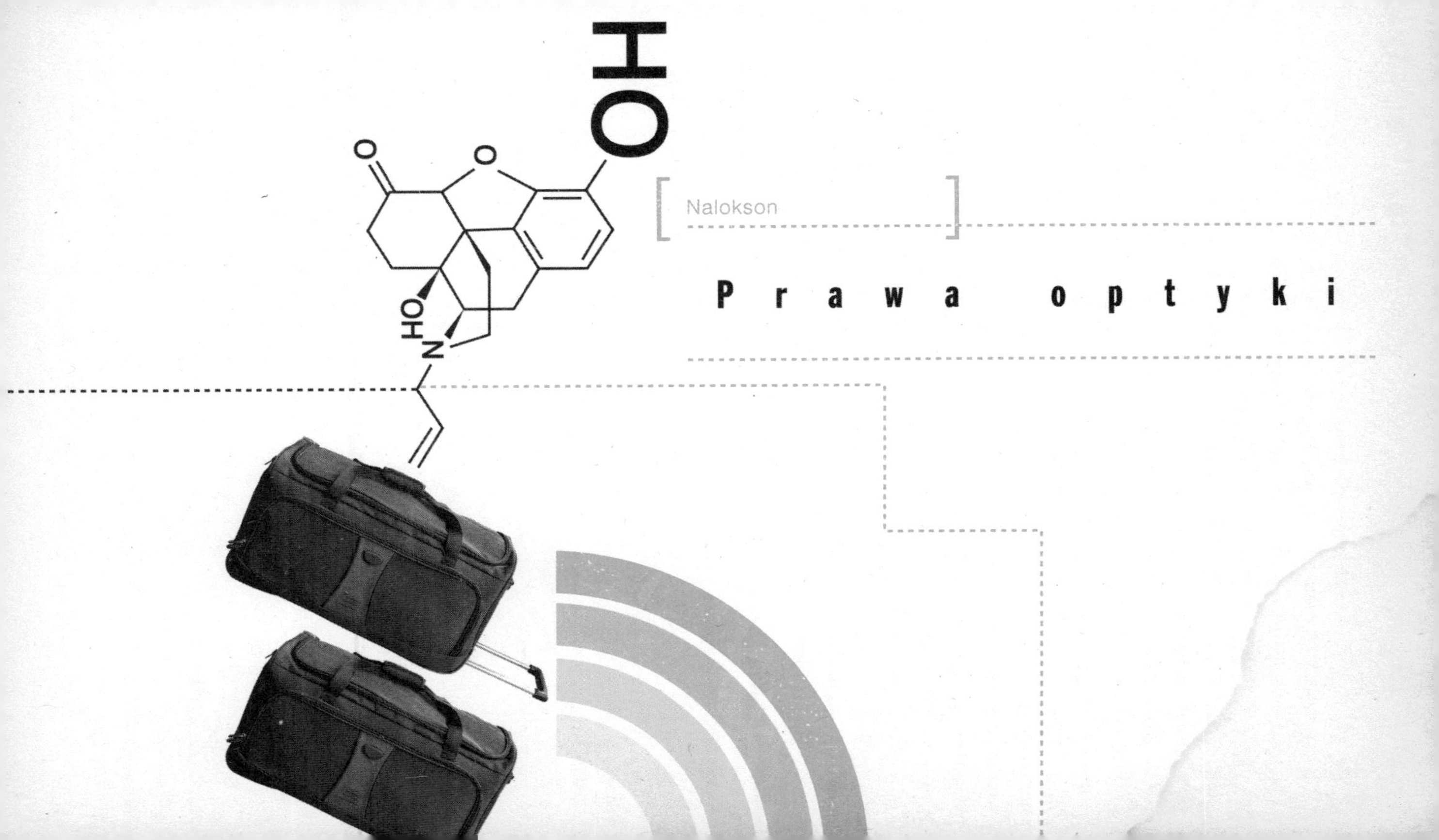
Nalokson
Prawa optyki
HO
O
OH
N
O

Od kilku lat chodzę do kościoła w poniedziałki. Jest tam wtedy spokojnie i cicho po całym tym tłumie z niedzieli. Zostawiam samochód lub skuter na pustym parkingu, wyłączam telefon komórkowy, siadam wygodnie w pierwszej ławce naprzeciwko ołtarza i rozmawiamy...

Czasami moje kościoły zmieniają kraje lub miasta. Inne są w nich ławki i ołtarze, ale jedno jest stałe: zawsze rozmawiam z Bogiem w poniedziałek. Najczęściej rozmawiamy w małym kościele pod wezwaniem św. Elżbiety na Bockenheim we Frankfurcie nad Menem. To niepozorna budowla w bardzo międzynarodowej i biednej dzielnicy. Jestem pewny, że gdybym poszedł tam w niedzielę i wmieszał się w tłum, to usłyszałbym *Ojcze nasz* w kilkunastu językach. Ten kościół to moja parafia. Tam trafia dziesięć procent moich podatków plus ofiara, którą wpycham w poniedziałki w szczeliny metalowych skarbonek. Współfinansuję go. W Niemczech deklaracja wyznania i afirmacja wiary w swojego Boga to nie tylko sprawa sumienia. To także bardzo konkretny, wyrażony liczbą wpis w określonej rubryce niemieckiego PIT-u.

Bardzo chętnie i regularnie płacę na mój kościół. Jest taki, jakiego bym chciał. Najbardziej nasłonecznioną południowo-wschodnią ścianę z jasnoczerwonej cegły pokryto panelami baterii słonecznych, zbierającymi energię w dzień, a w nocy zasilającymi lampiony ustawione wzdłuż zadbanych trawników przed głównym wejściem. Moja święta Elżbieta ma stronę internetową, a także specjalny telefon, czynny — z myślą o desperatach — całą dobę. We wtorki na plebanii odbywają się bezpłatne kursy niemieckiego dla cudzoziemców, we czwartki spotykają się tam anonimowi alkoholicy, w piątki — lekarze, psycholodzy, pracownicy opieki socjalnej i chorzy na AIDS, a w soboty zakonnice dobrym słowem pomagają porzuconym samotnym matkom związać koniec z końcem. W mojej parafii wiedzą, że większość samotnych matek ma czas tylko w sobotę, i to dopiero późnym wieczorem, po zamknięciu biur, które sprzątają. Aby zapewnić im spokój (chociaż przez półtorej godziny w tygodniu), kilka zakonnic w drugim pokoju bawi się z ich dziećmi. W tym czasie mogą korzystać z daru dobrego słowa, ale także z porad opłaconego przez parafię seksuologa, który uczy je, jak nie mieć więcej dzieci, gdy tego nie pragną. Wyjaśnia im zawiłości cyklu miesięcznego, mówi o tabletkach antykoncepcyjnych refundowanych przez kasę chorych, naciąga prezerwatywę na plastikowy penis, szczegółowo wyjaśnia działanie poronnej tabletki RU-486, gdyby prezerwatywa z jakiegoś powodu pękła. Mój kościół, tak jak każdy inny katolicki, jest dogmatycznie przeciwny aborcji, tyle że swój sprzeciw — w obliczu rzeczywistości ulicy — wyraża trochę inaczej... Cieszę się, że ludzie przychodzą do niego nie tylko w niedzielę. Elżbieta z Bockenheimu znana jest we Frankfurcie jako „kościół kobiet".

Tuż za głównym wejściem, po prawej stronie, znajduje się mały ołtarz, przed którym na specjalnej ławie zamontowano rzędy stojaków z otworami na ofiarne znicze. Przed ławą jest klęcznik, a obok niego stoi stary dębowy stół. Oprócz folderów i ulotek, informujących o działalności parafii, leży na nim oprawiona w grube granatowe płótno „Księga próśb do Boga". Ostatniego poniedziałku zerknąłem do niej. Są tam także liczne wpisy w języku polskim. Pod datą 11 lutego 2005 roku przeczytałem:

Najświętsza Mario,
opiekuj się Dagmarą i mną i spraw, aby nasza miłość rozkwitła i dała nam poznać pewność i bezpieczeń-

stwo. Uchroń nas przed nienawiścią świata, zwątpieniem, dodawaj otuchy i ulżyj w chwilach słabości. Daj nam życzliwość, wyrozumiałość, tolerancję i przebaczenie innych. Ewa

Postscriptum:

„Homoseksualizm jest uznawany w Polsce za grzech, a geje za odpadki...". Takie zdanie między innymi można znaleźć w niektórych przerażających publikacjach poświęconych polskiej homofobii. To dość typowe. W Polsce, gdy próbuje się uzasadniać dyskryminację, to prawie zawsze powołuje się przy tym na Boga, religię i zestawia się to razem ze śmietniskiem. Jeśli z jakichś powodów to nie skutkuje, zawsze można wrócić do sprawdzonych metod i zarzucić komuś, że jest Żydem. Jeden z polskich satyryków ujął to mniej więcej tak: „Wszystkie normalne próby wyeliminowania Robin Hooda zawiodły. Nie mamy wyjścia, trzeba rozgłosić, że jest Żydem".

W Niemczech jest inaczej. Boga zostawia się w spokoju, religię przywołuje bardzo ostrożnie, skupiając się głównie na teologii tolerancji. Inne konteksty nie byłyby tutaj akceptowane — Kościół mógłby jedynie stracić wiernych. Ponieważ deklaracja przynależności do określonego Kościoła wiąże się w Niemczech z deklaracją podatkową, żadnego nie stać na indoktrynacyjną głupotę i podlizywanie się ekstremistom. Jedynie najbardziej skrajni niemieccy i austriaccy naziści chcą przepędzać cudzoziemców w imię Boga i Chrystusa. Nie zauważyli chyba, że Chrystus to cudzoziemiec i na dodatek Żyd z Izraela. Poza tym mieszanie w te sprawy Kościoła i religii obraża sam Kościół. W tak zwanym katechizmie Kościoła katolickiego (*www.katechizm.opoka.org.pl*) sam przeczytałem: „Geneza homoseksualizmu pozostaje w dużej części nie wyjaśniona [...]. Znaczna liczba mężczyzn i kobiet przejawia głęboko osadzone skłonności homoseksualne. Osoby takie nie wybierają swej kondycji homoseksualnej, powinno się je traktować z szacunkiem, współczuciem i delikatnością. Powinno się unikać wobec nich jakichkolwiek oznak niesłusznej dyskryminacji". Definitywnie nie zgadzam się ze słowem „współczucie" i nie jestem pewny, czy słowo „delikatność" także jest na miejscu. Ale pomijam to, oczarowany wyraźnym stwierdzeniem „niesłusznej dyskryminacji".

Na mało w Polsce znany zapis z katechizmu zwrócił uwagę odważny ksiądz Tadeusz Bartoś, dominikanin, autor książki *Tomasza z Akwinu teoria miłości*, który zaraz po swojej publicznej wypowiedzi stał się celem ataków tak zwanych środowisk katolickich. Odpowiedział na nie pięknym zdaniem: „Chciałbym, by osoby homoseksualne czuły się w naszej ojczyźnie jak we własnym domu, a nie w miejscu wygnania".

Nazywanie homoseksualizmu grzechem, a gejów odpadkami rozwściecza mnie. Ale staram się być delikatny w swojej wściekłości. I to jest zapewne mój błąd! Ludzie tolerancyjni, kulturalni i dobrze wychowani popełniają błąd, tłumiąc wściekłość na ortodoksyjnych homofobicznych chamów, ociekających własną pianą z warczących ust. Starają się cicho i spokojnie polemizować, dyskutować, powoływać się na argumenty, uspokajać i przekonywać drugą stronę. Że to nieprawda, iż Murzyni są leniwi, kradną i śmierdzą, że to nieprawda, iż wszyscy Niemcy to naziści, że to nieprawda, iż wszyscy Polacy mają wąsy, kradną samochody i papier w toaletach publicznych, że to nieprawda, iż Żydzi uknuli spisek przeciwko światu, że to nieprawda, iż ateiści to albo marksiści, albo nihiliści, albo sataniści, że to w końcu nieprawda, iż wszyscy rudzi są fałszywi, a homoseksualiści to zboczeńcy. Dyskutując z takimi kretyńskimi poglądami, można długo opanowywać nerwy i nie podnosić głosu. Ale istnieją pewne granice, poza którymi trzeba się najnormalniej w świecie wściec i eksplodować. Inaczej nikt nas nie usłyszy w tym jazgocie zgrai kąsających homofobicznych psów.

Ostatnio poczułem taką wściekłość, gdy dwóch polskich polityków ze znanej partii publicznie zrównało homoseksualizm z pedofilią, nekrofilią i zoofilią. Brzmi to okropnie nawet dla tych, co nie znają się zbyt dobrze na łacinie i perwersjach. Dla tych, co się znają, przyrównanie zbliżenia gejów do gwałtu na zwłokach lub kopulacji z owcą czy kozą musi być szokująco obrzydliwe. Nie skomentuję przywołania w tym kontekście pedofilii, ponieważ zaczyna wzbierać we mnie żółć.

Podobną złość czułem, gdy swego czasu zupełnie przypadkowo natrafiłem w Internecie na stronę utrzymywaną przez ortodoksyjnych polskich nacjonalistów, a w niej na „historyczną" publikację o Januszu Korczaku. Autor tej skrajnie propagandowej ulotki nieustannie przypominał, że prawdziwe personalia Korczaka to Henryk Goldszmit (co było chyba jedyną prawdziwą informacją w tym tekście), a w którymś momencie zasugerował: „Być może bohaterski Goldszmit *vel* Korczak wcale nie był pedagogiem, tylko pedofilem...". To był jeden z tych nielicznych momentów w moim życiu, kiedy przyszło mi do głowy, że może ten idiotyczny pomysł z cenzurowaniem Internetu wcale nie jest taki zły. Oprócz wściekłości czułem jednak wtedy także wstyd. Swoją drogą ciekaw jestem, z czym ci dwaj politycy o umyśle płytkim jak kałuża porównaliby homoseksualnego rudego Murzyna (bywają i tacy), mającego izraelski paszport i od dwudziestu lat mieszkającego w Monachium?

Gdy zdenerwują mnie ludzie, to dla uspokojenia często sięgam po książki o zwierzętach. Jeśli w ich świecie w ogóle są jacyś politycy, to na pewno nie są aż takimi durniami. Nawet wśród gnid. Nie zacznę jednak od gnid, zacznę od muszek owocówek i homoseksualizmu, aby pozostać w temacie. Muszki owocówki to wprawdzie nie ludzie, ale jak pokazują ostatnie badania, mają niewiele mniej genów niż człowiek.

Elitarny amerykański magazyn naukowy „Cell" („Komórka") opublikował niedawno niezwykle interesujący artykuł, który czyta się momentami jak romans. Muszka owocówka nadlatuje do komory obserwacyjnej, zbliża się do oczekującej dziewicy, delikatnie dotyka jej jedną z kończyn i odgrywa — na swoich skrzydełkach — miłosną pieśń. To rodzaj gry wstępnej. Skończywszy koncert, liże swoją wybrankę, a gdy uzyska jej przyzwolenie, kopuluje z nią nieprzerwanie przez dwadzieścia minut (ludzie robią to krócej, ale długość aktu seksualnego nie jest funkcją liczby genów). Nie byłoby w tym niczego aż tak dziwnego (dla muszek), gdyby nie fakt, że wpuszczona do komory obserwacyjnej muszka jest samicą i tak naprawdę kopulować nie może i nie powinna. Jest jednak samicą szczególną — metodami inżynierii molekularnej zmieniono jej jeden gen. I właśnie ta zmiana spowodowała, że muszka samica stała się muszką samcem i przejęła natychmiast cały wzorzec zachowań w tak podstawowej dla przetrwania gatunku dziedzinie jak prokreacja. Jeden jedyny gen!

Aby zmodyfikować kolor oczu człowieka, trzeba by manipulować wieloma genami. Naukowcy (którzy z definicji powinni być nieufni, krytyczni, zazdrośni i zawistni) przecierają oczy ze zdumienia. Profesor Michael Weiss, szef Wydziału Biochemii przy Case Western Reserve University, uznał to odkrycie za przełomowe i skomentował je w bardzo charakterystyczny sposób: „Mam nadzieję, że to przeniesie dyskusję na temat orientacji seksualnej z poziomu moralności na poziom nauki". I dodał jeszcze bez wahania (przypominam, że to purytańska Ameryka): „Okazuje się, że nie dane mi było wybrać swojej heteroseksualności. To się po prostu zdarzyło". Jak mógł coś takiego powiedzieć?! Wstrętny jeden propedofil, pronekrofil i prozoofil, i na dodatek profesor. Zdeptać go czarnym lub brunatnym butem! Jak zboczoną amerykańską, genetycznie zmanipulowaną muchę owocówkę...

Krótka historia ewolucji

Testosteron

Alicja ma trzydzieści dwa lata. „Tak jak Poświatowska, kiedy umierała" — dodaje. Na półce z książkami w jej toruńskim mieszkaniu stoją *Opowieść dla przyjaciela* i cztery tomiki wierszy Poświatowskiej. Za ostatnią kartką *Opowieści*... zbiera recepty. Od kilku lat zaprzyjaźniony psychiatra, który się w niej podkochuje, wypisuje jej różowe kartki, a ona konsekwentnie ich nie wykupuje. Notuje na nich swoje najskrytsze życzenia. Czasami, gdy jest jej bardzo smutno, przeważnie późnym wieczorem, gdy zaśnie już córka, wychodzi z łóżka, nalewa sobie wina do dwóch kieliszków, sięga po tę książkę i czyta. Najpierw Poświatowską, a potem recepty. Ostatnio coraz częściej przy tym płacze. Gdy wypije zbyt dużo, idzie do łazienki, zamyka drzwi na klucz, napełnia wannę gorącą wodą, wlewa do niej olejki z jaśminem i awokado, rozbiera się, wchodzi do wody, zamyka oczy i prawą ręką dotyka się między udami. Lewą zasłania sobie usta, aby nie krzyczeć zbyt głośno i nie obudzić córki. Wcale nie jest jej potem mniej smutno. Jest jedynie uspokojona i o wiele łatwiej zasypia po powrocie do pustego łóżka. Zapach jaśminu zawsze na nią tak działał. Podobnie zresztą jak seks. Pod tym względem jest bardzo podobna do większości znanych jej mężczyzn. Po seksie zasypiała natychmiast. Czasami nawet przed nimi. „Większości...". To zabrzmiało intrygująco. Ale to tylko tak brzmi. Dwaj z trzech, których miała w życiu, to niewątpliwie większość. Poza tym, jak na trzydzieści dwa lata życia, to — w tych wyuzdanych czasach — chyba bardzo mało. Teraz czeka na tego czwartego.

Z racji zawodu musi dużo czytać. Ostatnio wpadła jej w ręce książka o ewolucji. I tak, zamiast wypatrywać w księgarni, którą prowadzi, tego czwartego, być może przegapiała swoją szansę i czytała. Gdyby na drzewie życia pominąć roślinność i skupić się na zwierzętach, to ewolucję można podzielić na cztery fazy. Dopiero w ostatniej, czwartej, pojawia się człowiek. Cóż za dziwny zbieg okoliczności!

Bezkręgowce: Urodziła Anię dwa miesiące po swoich dziewiętnastych urodzinach. Nie było go w szpitalu i nie było go, gdy stamtąd wychodziła. Gdy rodziła, spał, gdy opuszczała szpital, pił wódkę z kolegami. Przez dwa lata cierpliwie przekonywała go, że powinien wyrosnąć z dzieciństwa, że teraz dzieciństwo to ma Ania. Ulegał wszystkim: matce, która nie mogła się pogodzić z tym, że jej jedynak musi dorosnąć, ojcu, który przekonywał go, że „dzieciak to sprawa mamusi", kolegom, którzy nigdy nie stali się dorosłymi. Był jak bezkręgowy mięczak. Dotrzymywał obietnic przez kilka godzin. Potem o nich zapominał albo składał kolejne. Zupełnie innym ludziom. Przez następne dwa lata odchodziła od niego. Gdy w końcu odeszła, zapomniała o nim w dwie godziny. Nie pamięta nawet ich nocy poślubnej...

Ssaki drapieżne: Zachwycił ją swoją inteligencją. Szczury — o tym także dowiedziała się z tej książki — należą do najbardziej inteligentnych ssaków. I przy tym do najbardziej okrutnych. Poznała go w księgarni. Perfidnie pytał ją o książkę, którą znał na pamięć. Zauroczona jego osobowością, wprowadziła się do niego po dwóch miesiącach. W łazience ciągle stały szampony i płyny do higieny intymnej jego poprzedniej kobiety. Był zakompleksionym dziennikarzem prowincjonalnej gazety. Marzył o napisaniu książki. Pomagała mu. Wmawiał jej, że jest jego muzą, ale ich wspólne dzieło po rozstaniu z nią zadedykował następnej kochance. Gotowała dla niego, prała mu skarpety i majtki, prasowała jego koszule, czytała książki, aby mu je opowiedzieć. Miesiącami perorował o „kosmicznym seksie", ale nie sypiał z nią, zajęty „magią tworzenia". Pisał o miłości, ale nigdy nie powiedział, że ją kocha. Nigdy nie miała z nim orgazmu. W łóżku był jak szczur. Wkładał w nią pospiesznie swoje zbyt krótkie prącie, gryzł boleśnie jej sutki, ejakulował i szybko uciekał do łazienki. Pewnego dnia wróciła do domu wcześniej niż zwykle. Nie zauważyli, jak weszła do sypialni...

Ssaki naczelne: Po szczurze lizała rany przez rok. Latem, ciągle jeszcze z bliznami, pojechała na urlop do Kołobrzegu. Któregoś dnia podczas spaceru wzdłuż plaży — było wtedy bardzo zimno — podszedł do niej opalony mężczyzna i chciał okryć jej gołe plecy swoją marynarką. Zgodziła się. Spacerowali przez dwa tygodnie. Szukał jej dłoni. Nigdy mu jej nie podała. Przez kilka miesięcy przyjeżdżał z Niemiec do Torunia. W końcu uległa. Pierwszy raz w jego bmw w lesie. Był jak małpka bonobo. Nie dawał jej zasnąć. Mógł i chciał drugi raz już po piętnastu minutach. Tyle że ani po pierwszym, ani po drugim nie mieli o czym rozmawiać. Miesiąc później zmieniła numer swojego telefonu komórkowego.

Teraz czas na czwartą fazę. Na razie kupiła nowe opakowanie olejków do kąpieli. Z zapachem jaśminu. Ciągle także notuje swoje życzenia na receptach. Ciągle te same...

Rozszczepienie światła

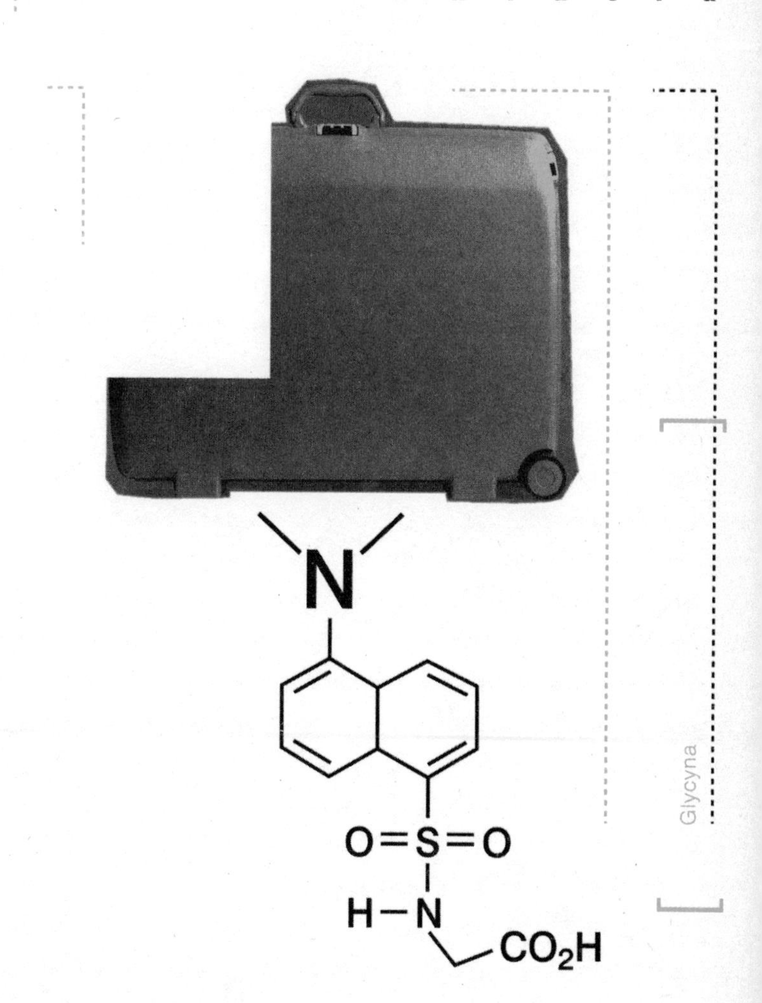

Gdy telefonują do siebie, Joasia najbardziej czeka na „kocham cię" na końcu rozmowy. Potem ona mówi ojcu „kocham cię", odkłada słuchawkę i zamykając oczy, przytula delikatnie głowę psa do swojej twarzy. Najczęściej szepcze mu do ucha drugie „kocham cię". To jest jej pies. Jej i taty. Tylko ich. Przywieźli go z Polski dwa lata temu. Gdy tata ją odwiedza, uwielbia siadać na jego kolanach i ściskając jego rękę, głaskać wspólnie psa, leżącego na kanapie obok nich. Najbardziej ze wszystkiego na świecie chciałaby, aby tata wcale do niej nie przyjeżdżał. Aby mieszkał z nimi przez cały czas. Z nią, mamą i psem. Kiedyś przecież tak było. Potem mama z tatą zaczęli się zamykać w swoim pokoju i rozmawiać podniesionymi głosami. Często później mama płakała, a tata trzaskał drzwiami i wychodził. Pamięta, że nie mogła wtedy zasnąć, dopóki nie wrócił. Czasami nie spała całą noc.

Któregoś wieczoru, na miesiąc przed jej dziewiątymi urodzinami, tata „się wyprowadził". To były jej najsmutniejsze urodziny w życiu. Na początku nie wracała od razu po lekcjach do domu, tylko czekała na niego przy wejściu do sali gimnastycznej, skąd jest najlepszy widok na drogę dojazdową i parking przed szkołą. Kiedyś zauważyła samochód podobny do hondy taty i zaczęła biec w jego kierunku. Z auta wysiadła jednak jakaś pani i spojrzała na nią tak dziwnie, że od tego dnia nie wystawała już pod salą gimnastyczną.

Ale nie przestała czekać. Na rozmowy telefoniczne z „kocham cię" na końcu, na to, że tata przyjedzie kiedyś na wywiadówkę do jej szkoły, na środowe obietnice, że zabierze ją na weekend do siebie, i na to, że je spełni, że nie odwoła ich w piątek późnym wieczorem. Na ich wspólne wakacje „w dalekich krajach", które przyrzeka już w styczniu, a potem zawsze jest tylko wyjazd do Polski, do babci, gdzie już na drugi dzień zostawia ją samą i wraca do Niemiec... do pracy. Poza tym czeka na to, że mama zacznie wcześniej wracać z pracy, przestanie być smutna i się martwić tym, że nie mają pieniędzy na jej korepetycje z matematyki, na lekcje angielskiego, które tak lubi, na wycieczkę szkolną, na nowe biurko do jej pokoju i na naprawę piekarnika.

Mama nigdy jej tego nie powiedziała, ale ona i tak od dawna wie, że tata nie pomaga. Kiedyś przez przypadek podsłuchała ich rozmowę telefoniczną. Do dzisiaj pamięta słowa mamy: „To nie dla mnie, tylko dla Joasi". Nie wie, co tata odpowiedział, ale mama była bardzo zdenerwowana i miała łzy w oczach. Zrobiło się jej wtedy bardzo przykro. Ona bardzo nie lubi, gdy mama płacze. Poza tym nie chce, aby rodzice krzyczeli na siebie z jej powodu. Matematyki zacznie się uczyć z tą kujonką Corriną i wcale nie musi przecież jechać na tę wycieczkę. Nowego biurka też nie musi mieć. I tak woli odrabiać lekcje przy telewizorze w pokoju mamy. Nie chciałaby, aby tata przestał do niej dzwonić z takich głupich przyczyn. Ona myśli, że tata nie ma pieniędzy. Kiedy zabiera ją do siebie, to nie wychodzą nigdzie z domu, jedzą chipsy lub pierogi od babci i oglądają telewizję albo rysują.

Gdy tata jej koleżanki Kerstin, który też się wyprowadził od jej mamy, zabiera ją na weekend do siebie, to albo lecą do Paryża, albo jadą do Pragi i cały dzień chodzą po sklepach, a wieczorem do restauracji. Potem Kerstin opowiada o tym w kółko na wszystkich przerwach w szkole. Słucha jej, aby nie pomyślała, że jej zazdrości. Bo tak naprawdę zazdrości jej, choć nikt nie rysuje tak pięknie jak tata. Gdy jest jej smutno i jest sama w domu, czekając na powrót mamy z pracy, rozkłada w swoim pokoju na podłodze rysunki taty i ogląda je. Najbardziej podobają się jej portrety mamy. Ostatnio babcia (mama mamy) dała jej na urodziny sto euro. Policzyła, że jeśli będzie oszczędzać kieszonkowe i dołoży wszystkie swoje oszczędności do prezentu od babci, to do listopada zbierze na naprawę piekarnika...

Względność grzechu

Amfetamina

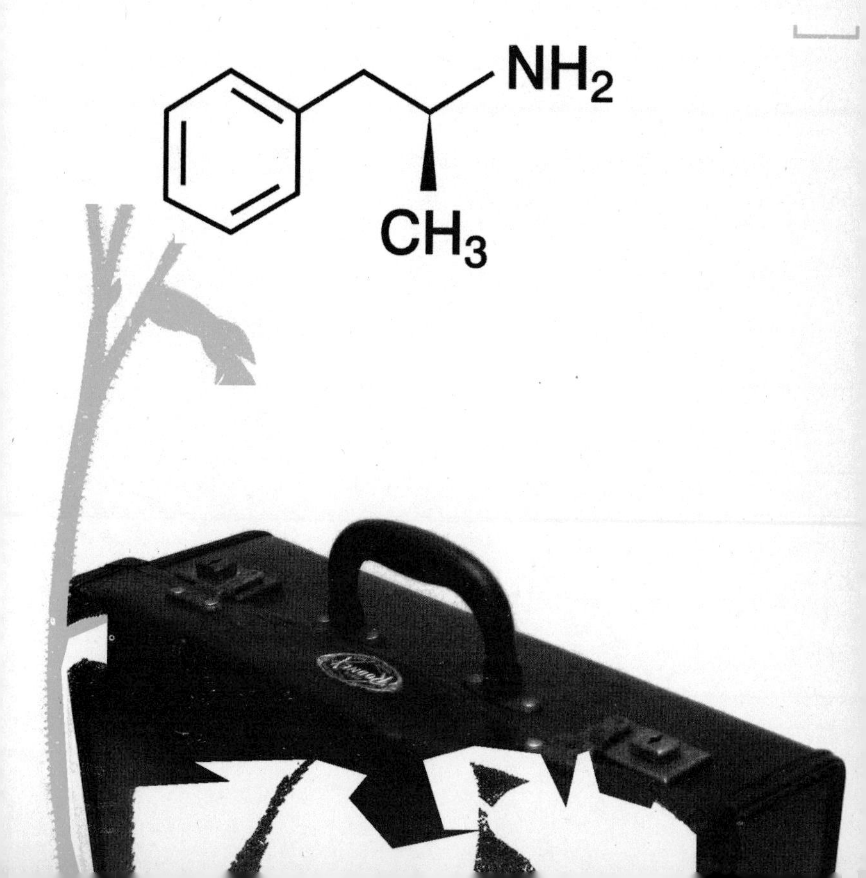

Moja matka uważa, że oprócz niej i ojca wszyscy z pewnością mnie jutro znienawidzą. Siostra twierdzi na dodatek, że wszyscy będą mieli rację i że ona już dzisiaj wstydzi się „przed całym światem za swoją niewyżytą seksualnie, niewdzięczną i głupią siostrunię, która okazała się tanią nimfomanką". Moja siostra, odkąd wyszła za mąż, uznaje tylko jedną rację. Rację jej obleśnego, zarozumiałego męża, który najpierw podpisał z nią intercyzę, potem się z nią ożenił, następnie zameldował ją w swoim dużym domu w znanej miejscowości pod Warszawą, aby w ciągu niecałego roku zrobić z niej sfrustrowaną i nieszczęśliwą kucharkę i sprzątaczkę, tolerującą jego powtarzające się „epizody niewierności". Nie zauważa przy tym, że jej mąż takie „epizody" proponuje każdej napotkanej kobiecie. Łącznie ze mną. Tylko babcia nic nie powiedziała, gdy ogłaszałam rodzinie, co zamierzam zrobić jutro. A gdy wychodziłam, podeszła do mnie i przytuliła mocno na pożegnanie...

Nie, to wcale nie tak, że jestem z nieodpowiednim mężczyzną, a ten drugi to taki wymarzony, nierealny święty ON z pewnej książki. Ja wcale nie żyję resztkami miłości, ja ją dopiero w sobie gromadzę. Ten inny po prostu mi się przydarzył, wcale nie jest na wszelki wypadek, gdyby mi nie wyszło. Nie boję się mojej przyszłej samotności. Nie może być gorszej samotności niż ta, którą przeżywam obecnie. Obok mojego męża. Po prostu źle trafiłam. Zakochałam się w nim, gdy miał trzydzieści cztery lata. Lata pomiędzy trzydziestym trzecim a trzydziestym dziewiątym rokiem życia to chyba najgorszy etap w życiu mężczyzny. Koniecznie chce osiągnąć sukces, ciągle mu mało, stale musi coś udowadniać, jest narcystyczny, nie toleruje żadnej krytyki, kolekcjonuje każdy dowód uznania, nie rozróżniając tych prawdziwych i tych udawanych. Pragnie osiągnięć, atrybutów władzy, pieniędzy, a jeśli już nie domu, to chociaż działki pod niego, udanych dzieci, atrakcyjnej żony, seksu opisywanego w kolorowych gazetach, wakacji w bajecznych krajach i samochodów zagrożonych największym ryzykiem kradzieży. Chce być szczupły, ale jednocześnie jadać regularnie w najlepszych restauracjach. Chce podobać się wszystkim: szefowi, łowcom głów, do których w tajemnicy wysyła swoje CV, sprzedawczyni z kiosku z gazetami, teściowej, dziewczynie z dużym biustem w swoim banku, nawet żebrakowi siedzącemu przed barem mlecznym. Jednocześnie zaczyna odczuwać pierwsze oznaki zmęczenia. Martwi się, że kolega z firmy wpadł na jakiś pomysł przed nim, że na zjeździe absolwentów to nie on był gwiazdą. Niby ciągle jest młody, ale już nie za bardzo. To taki dziwny wiek. Mówiąc żartobliwie: dla młodych dziewcząt już nie jest seksy, jest jednak ciągle za młody, aby wywołać w nich kompleks ojca. Poza tym koniecznie chce, aby go podziwiano i kochano. Zapomina przy tym o tych, którzy kochają go naprawdę. Tylko czasami martwi się, że coraz częściej udaje, że śpi, gdy jego kobieta przytula się do niego w łóżku w ich sypialni.

Mój mąż natomiast wcale się tym nie martwił. Nawet nie udawał. Na początku starałam się go zrozumieć. Potem próbowałam z nim rozmawiać. O tym, że nie chcę ani dużego domu, ani drugiego samochodu, ani albumów ze zdjęciami z dalekich krajów. Chcę tylko prawa do pensum jego czasu i chcę czuć, że on także tego chce. Przytulać się do niego w łóżku przestałam dopiero po roku.

Ten ktoś... Trudno mi to objaśnić. I wcale nie w tym rzecz, że pożąda mnie, a ja pożądam jego pożądania. Nie! Ten drugi to nie żaden tymczasowy grzech, z którego mogłabym się jutro wyspowiadać i po pokucie grzeszyć od nowa. Przypomniały mi się dzisiaj wszystkie kwiaty zerwane podczas naszych spacerów, ocieranie łez i zajmowanie moich myśli, gdy tak bardzo było mi źle i tak mocno w środku bolało. Przypomniałam sobie, jak bardzo lubię, gdy całuje moje dłonie. Nikt tego wcześniej nie robił. Gdy byliśmy ze sobą pierwszy raz, rozebrał mnie i mając całkowite przyzwolenie na wszystko, pominął moje uda, podbrzusze i piersi i zajął się całowaniem wnętrza moich dłoni. I tak już zostało. Mój mąż przypomina sobie o moich dłoniach dopiero wtedy, gdy nie znajdzie rano świeżo wyprasowanej koszuli...

Dzisiejszej nocy znowu nie mogłam zasnąć. Wiem, że nie tylko ja. Na drugim końcu miasta od dwóch lat nie może spać mężczyzna, ponieważ nie uwierzyłam w niego i nie umiałam przyjąć całej jego odwagi, dobroci, czułości i tkliwości, bo „życie takie nie jest, a ja przecież złożyłam obietnicę". Jutro zadzwonię do niego i powiem mu, że to nieprawda. Że się myliłam. A jutro wszyscy mnie znienawidzą...

Stany pośrednie

Morfina

Ochrzczono mnie wyjątkowo w wigilijny sobotni poranek. W małym, zapomnianym kościele na obrzeżach Poznania. O piątej rano. Młody proboszcz — wiem to z opowieści mamy — uznał, że to będzie „najlepszy czas na nieślubną, aby nie drażnić ludzi". Imiona wybrała dla mnie matka. Mam inicjały ojca, jego kolor oczu, jego zbyt duże stopy i jego genetyczną skazę — lepiej zapamiętuję to, co ma nastąpić, niż to, co minęło. Po mamie mam pieprzyk na lewej łydce i podobnie jak ona potrafię płakać bez powodu, boję się ciemności i pająków oraz zachwycam się poezją i górami. Na moim chrzcie rodzice ostatni raz byli razem. W tym samym kościele, w którym nie wzięli ślubu. Matka otuliła mnie welonem, którego nigdy nie włożyła, i dopięła frezje. Wiele lat później z materiału na suknię ślubną uszyła mi pierwszą sukienkę. W mieszkaniu zmieniła wszystko, z wyjątkiem ich sypialni. Gdy tam czasami wchodzę, czuję się jak w mauzoleum. Na parapecie, na specjalnym stojaku, leżą jego fajki, ze wszystkich ścian spoglądają na mnie jego oczy z fotografii, w szafie ciągle wiszą jego dwie błękitne koszule, które mama o czternastej w każdą Wigilię, nie wiadomo po co, wyciąga i prasuje. Na stoliku nocnym po prawej stronie łóżka leży książka z zakładką na pięćdziesiątej czwartej stronie. Tak jak ojciec ją zostawił. Dwadzieścia sześć lat temu...

Od kiedy pamiętam, Wigilia była apogeum czekania matki na niego. Na mojego ojca. Przez długi czas tego nie rozumiałam. Nie wiedziałam na przykład, dlaczego w każdą Wigilię mama budzi mnie o czwartej rano i pustym autobusem, zmarznięte, jedziemy do małego kościoła na końcu miasta, aby posiedzieć w ławce i pomilczeć przez pół godziny.

Nie rozumiałam także, dlaczego pod choinką leżą prezenty, których nikt nie rozpakowuje, a wśród wigilijnych potraw są śledzie w śmietanie z cebulą i jabłkami, których obie nie znosimy. Pewnego razu zapytałam ją. Wtedy wspomniała tylko o chrzcie. Osiem lat później (chyba uznała, że jako dwudziestojednoletnia kobieta jestem nareszcie wystarczająco dorosła) opowiedziała mi o ojcu. Z tej rozmowy dokładnie pamiętam tylko dwa zdania: „Twój ojciec jest jednym z mężczyzn, przez których płakałam najczęściej, i zarazem jedynym, do którego nie mam o to żalu...". Gdy zapytałam, dlaczego właśnie on, w odpowiedzi usłyszałam: „Bo dał mi ciebie — tylko on mógł dać mi taką córkę, tylko on". Ja bardzo rzadko płaczę. Ale wtedy płakałam, ze smutku. I z nienawiści do niego. Matka przez dwadzieścia sześć lat nie potrafiła pożegnać się z nadzieją, że kiedyś do niej wróci. I wymyśliła sobie, że jeśli ma się to kiedykolwiek zdarzyć, to z pewnością stanie się to w Wigilię. Czasami miała depresje. Gdy starała się przetrwać swój dwunastomiesięczny adwent między Wigiliami i zamykała się na długie godziny w tym swoim mauzoleum, zastanawiałam się, czy nie byłoby lepiej, gdyby dwadzieścia sześć lat temu po prostu owdowiała. Miałaby wtedy akt zgonu, zadbany grób, wyblakłe fotografie w albumie, znicze w Zaduszki, piękne wspomnienia. Nie musiałaby pielęgnować tej idiotycznej, beznadziejnie chorej nadziei.

Moja matka jest piękną i mądrą kobietą. Przez wszystkie te lata próbowali się do niej zbliżyć najróżniejsi mężczyźni. Niektórzy chcieli spędzić z nią tylko jedną noc, inni — całe życie. Ale nawet ci drudzy byli sezonowi. Koło połowy listopada i tak ich przeganiała, aby w Wigilię z czystym sumieniem wyciągnąć z szafy jego święte, idealnie gładkie koszule w kolorze nieba i z namaszczeniem je uprasować. Mam ojca, który bardzo skrzywdził moją matkę. Swoją nieobecnością. Mnie nie. Ja dowiedziałam się, że dzieci mają ojców, dopiero w przedszkolu. Wiem też, że jestem dla niego najważniejsza. Wystarczy, że zadzwonię, i jeśli nie będzie akurat na jakimś kongresie poza Polską, to zostawi wszystko i przyjedzie. Dlatego nie dzwonię. Mszczę się na nim. Cały czas. Za mamę. Nie mówię mu, że jestem z niego dumna, udaję, że nie interesuje mnie jego życie, nie dziękuję za nic, co mi daje, nie całuję go i nie przytulam się do niego. Nie zasłużył na to, aby wiedzieć, że go kocham...

Kokaina

Opowieść dworcowa

„Płakać trzeba w spokoju.
Tylko wtedy ma się z tego radość...”

Mijała północ. Zaczynał się wtorek, 18 sierpnia 1998 roku. Po tygodniu wyczerpujących wykładów w Słupsku wracałem pociągiem do Frankfurtu. W pośpiechu, aby przed dziesiątą rano być już w biurze. Z przesiadką w Berlinie. Stacja Berlin Lichtenberg — wtedy jeszcze nie dotknięta bogactwem zjednoczonych Niemiec. Szary, brudny, enerdowski, odrapany z tynku dworzec mógłby być doskonałym miejscem akcji filmu, koniecznie czarno-białego, o bezsensie, szarości i udręce życia. Byłem pewien, że tam, w takiej chwili, Wojaczek napisałby swój najmroczniejszy wiersz. Na ławce w opustoszałej poczekalni siedział obok mnie mówiący do siebie mężczyzna. Nagle poczułem szturchnięcie.

„Kolego... Wypijesz łyk piwa ze mną? Wypijesz?”, usłyszałem zachrypnięty głos. Podniosłem głowę.

Ogromne, przekrwione, wystraszone oczy w za dużych oczodołach w wychudzonej, zarośniętej i pokrytej ranami twarzy patrzyły na mnie błagalnie. Wyciągnięta w moim kierunku drżąca dłoń ściskała puszkę piwa. Mężczyzna zauważył moje łzy, odsunął się gwałtownie i powiedział: „Słuchaj, kolego, ja nie chcę ci przeszkadzać. Nie chciałem, naprawdę. Ja też nie lubię, gdy płaczę i ktoś się przyczepia. Już sobie idę. Płakać trzeba w spokoju. Tylko wtedy ma się z tego radość...".

Taki nieoczekiwany krótkotrwały atak arytmii nastroju. To nieprawda, że mężczyźni nie płaczą. Pierwsze minuty moich czterdziestych czwartych urodzin. Na wysmarowanej graffiti ławce, w środku śmierdzącego moczem dworca, obok jeszcze bardziej samotnego niż ja człowieka... Gdy wstał i oddalał się ode mnie, wydawało mi się, że właśnie opuścił mnie najlepszy i jedyny przyjaciel. Ktoś przez chwilę bardzo bliski. Tam, na tej ławce, dwie minuty po tym, jak w jednym z ciemnych tuneli dworca Berlin Lichtenberg zniknął ten mężczyzna, postanowiłem napisać *S@motność w Sieci*. Wtedy nie było jeszcze tego tytułu. Nie było tak naprawdę niczego. Ani fabuł, ani postaci, ani początku, środka czy końca. Nie było nic oprócz pragnienia, aby napisać coś wreszcie nie o tym, co wiem, ale o tym, co czuję. Wyrwany z pędzącego życia pełnego terminów, planów i projektów, zatrzymany przez nieprzewidzianą bezczynność czekania, poczułem samotność i smutek. Żeby zauważyć swoje osamotnienie, trzeba mieć na to czas.

Ponad trzy lata później pierwszy raz zobaczyłem ją w witrynie księgarni w moim rodzinnym Toruniu. Bałem się, że inni także ją widzą. I że na dodatek kupią i przeczytają. Ja nigdy się nie odważyłem. Zbyt wiele chciałbym zmienić, poprawić, usunąć, ocenzurować, a zaraz potem musiałbym tłumaczyć i przepraszać najbliższych. Na podstawie własnej biografii można przecież stworzyć nieskończoną liczbę historii. Niekoniecznie prawdziwych...

S@motność... zaczęła żyć własnym życiem. Niektórzy twierdzą nawet, że stała się „kultowa", ale wtedy natychmiast dodaję, że kultowe stało się także jej krytykowanie. Od jej wydania przez pięć lat przeczytałem ponad dziewiętnaście tysięcy e-maili, nadesłanych przez ludzi, którzy zamiast robić coś innego, podarowali mi swój czas i przeczytali moją książkę. Dla niektórych była „nieporównywalnym z niczym gniotem", inni z kolei pisali: „Sama nie wiem, jak przekładałam kolejne strony tej książki, wiem jednak, że w połowie zaczęłam się modlić, żeby się nigdy nie skończyła".

W Polsce kupiło ją około dwustu pięćdziesięciu tysięcy ludzi, a wydawnictwo szacuje, że cztery, pięć razy tyle ją przeczytało. Niemal milion osób ma w swojej wyobraźni bardzo indywidualny zapis przeżyć, które towarzyszyły im podczas lektury. Opowiedzieć skroplone emocje tej książki obrazami (i dźwiękami) to niezwykłe wyzwanie.

Gdy reżyser filmu zapytał mnie, z którą postacią najbardziej się utożsamiam, odpowiedziałem bez wahania: „Z tym samotnym mężczyzną z Lichtenbergu". 8 października 2005 roku, około północy, siedziałem jako aktor obok Andrzeja Chyry na planie filmowym. Światła, kamera, charakteryzacja. Ale ten sam berliński dworzec i ta sama ławka. Po dwóch minutach wstałem i ruszyłem w kierunku tunelu. Tak jak siedem lat temu tamten mężczyzna...

PS Zbieżność niektórych zdań z fragmentami książki nie jest przypadkowa.

Odejścia

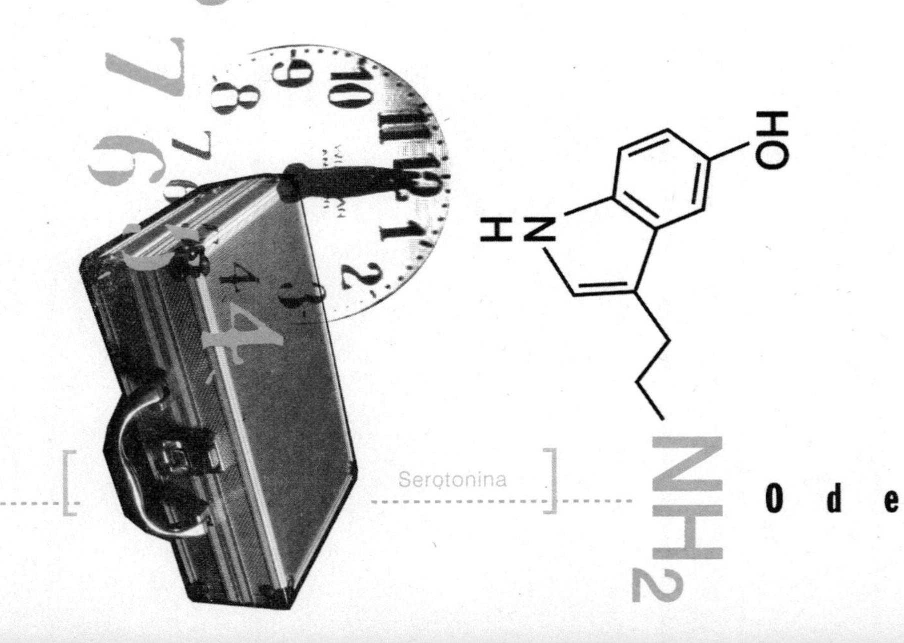

W marcu, w rocznicę ich ślubu, obiecała mu, że już więcej ich nie będzie, że umrze w ciągu roku. Znali się trzydzieści dwa lata i osiem miesięcy. Trzydzieści jeden lat była jego żoną. Musiał wiedzieć, że zawsze dotrzymuje słowa. Zawsze...

Dwa lata temu zadzwonili z jego firmy. Pojechała taksówką do szpitala. Miał wylew krwi do mózgu. W sali pełnej aparatury dotykała jego ręki i twarzy. Potem jego warg. Nie reagował. Dopiero po trzech tygodniach, dzięki opiece młodego lekarza, zyskała pewność, że Robert ją poznaje. „Niech pani patrzy na jego prawy kciuk i lewe oko. Jeśli na moje pytanie o panią podniesie kciuk i mrugnie — być może wielokrotnie — tą powieką, to znaczy, że panią poznaje". Rozpłakała się, patrząc na jego kciuk. Lekarz wyszedł w tym momencie z pokoju.

Wylew prawie całkowicie go sparaliżował. Według diagnozy lekarza „po sześciu miesiącach pacjent był w stanie obracać głowę o 20–30 stopni w prawo i 10–20 stopni w górę. Tylko kciuk prawej dłoni pozostał motoryczny, podobnie jak powieka lewego oka. Prawe oko pozostaje permanentnie otwarte, jednakże koncentracja na obiektach jest niemożliwa na skutek nieustannego drżenia obu źrenic. Nie ulega wątpliwości, że pacjent słyszy. Pacjent utrzymywany jest przy życiu dzięki sondzie PEG, wprowadzonej bezpośrednio do żołądka. Płyny i pokarmy dozowane są według ustalonej instrukcji, wydzieliny ustrojowe odprowadzane automatycznie. Prawdopodobieństwo przywrócenia funkcjonowania mózgu zaniedbywalnie małe". Zapomnieli dodać, że pacjent „incydentalnie płacze". Lewym okiem. Że tylko z niego spływają mu łzy, gdy opowiada mu o dzieciach, psie, który za nim tak tęskni, iż przestał jeść, oraz o tym, że ona nie może zasnąć bez jego chrapania.

Po roku zwolniła się z pracy. Nie mogła znieść tego, że nikt w szpitalu nie ściera mu z czoła potu, który spływa mu do ciągle otwartego prawego oka. Że nikt nie ściąga mu z ust śliny, której nie był w stanie połknąć i która doprowadzała do duszności przez nikogo nie zauważanych, dopóki Robert w konsekwencji nie omdlewał. Nie pamięta dokładnie, kiedy zaczęli rozmawiać o jego pragnieniu śmierci. Od tej chwili, gdy bez powodu poruszał kciukiem, to o tym właśnie chciał mówić. Robił to każdego dnia. Pewnego ranka na jej prośbę lekarz sporządził protokół: „W nawiązaniu do woli pacjenta, wyrażonej jednoznacznie ruchami głowy i kciuka w obecności rodziny, potwierdzam jego życzenie zakończenia życia". Protokół został zupełnie zignorowany przez dyrekcję placówki. „Wola pacjenta w kontekście niemieckiego prawa jest bez znaczenia", usłyszała od profesora, szefa szpitala, który po czterech tygodniach raczył udzielić jej pięciominutowej audiencji. Lekarz nie zgodził się na zaprzestanie leczenia antybiotykami, gdyby wystąpiło zapalenie płuc. Powołał się na obowiązek niesienia pomocy. To była szansa. Zapalenie płuc u Roberta występowało średnio co trzy miesiące. Nie wspomniała mu jednak o takiej możliwości. Nie mogła sobie po prostu wyobrazić, że będzie się bezczynnie przyglądać, jak jej mąż odchodzi z powodu zaniechania leczenia.

W marcu obiecała mu, że umrze. W kwietniu sprowadziła do szpitala notariusza, który zanotował, że prawym kciukiem i lewym okiem Robert w obecności lekarza, jej oraz dzieci wielokrotnie i jednoznacznie potwierdził, iż chce umrzeć. Pismo to wysłała do wszystkich najważniejszych osób w państwie. Nie dostała żadnej odpowiedzi. W sierpniu skontaktowała się ze szwajcarskim stowarzyszeniem Dignitas. W Szwajcarii można umrzeć bez zgody dyrektora szpitala. Obojętnie jakiego. Taką mają konstytucję.

Ale nawet tam trzeba się zabić samemu. Wprawdzie sonda PEG wprowadzi uśmiercający pentobarbital sodu do żołądka, ale przełącznik pompy dozownika Robert musiałby przesunąć prawym kciukiem sam. Ćwiczyli to przez cztery miesiące. Każdego dnia. Podczas gdy inni walczyli w tym szpitalu o życie, Robert walczył o swoją śmierć. Któregoś wieczoru wyłączył pompę. Przerażone pielęgniarki nie zrozumiały jej radości, gdy zawiadomiona w środku nocy, natychmiast przyjechała do szpitala.

Dwunastego marca specjalna karetka podjechała pod blok mieszkalny w centrum Zurychu. Windą dostali się na czwarte piętro. Wszystko było przygotowane. O 18.00 członek Dignitas zgodnie z przepisami włączył kamerę. O 18.05 zapytała Roberta ostatni raz. O 18.06 wypełniła zbiornik PEG pentobarbitalem. O 18.08 Robert przesunął prawym kciukiem przełącznik...

Postscriptum

Eutanazja w Polsce to temat bardzo kontrowersyjny. Blisko połowa Polaków (czterdzieści osiem procent) uważa, że prawo powinno zezwalać na bezbolesne skracanie życia nieuleczalnie chorych osób, których cierpieniom nie można ulżyć, natomiast trzydzieści siedem procent ankietowanych jest temu absolutnie przeciwnych. Jednocześnie, gdy w pytaniu pojawia się wprost słowo „eutanazja", czterdzieści osiem procent respondentów wyraża wobec niej sprzeciw, a popiera ją trzydzieści pięć procent. Badanie wskazuje ponadto, że aż sześć procent Polaków w ogóle nie wie, czym jest eutanazja, a termin ten — według CBOS-u — zasadniczo wzbudza negatywne emocje.

Podobnie jest z kwestią sztucznego podtrzymywania życia za pomocą aparatury specjalistycznej. Około czterdziestu czterech procent Polaków jest temu przeciwnych, a trzydzieści dziewięć procent godzi się na stosowanie takich metod. Ten prawie równy podział opinii świadczy o tym, że religijność (a przecież Polacy są ultrareligijni) nie jest tutaj głównym kryterium. Za eutanazją lub przeciw niej opowiadają się i katolicy, i ateiści. Opinia katolików przy tym często wynika ze złej interpretacji woli śmierci. Jeśli ciężko chory człowiek w pełni władz umysłowych mówi, że chce umrzeć, to religia natychmiast podpowiada tu własną interpretację: „On nie może chcieć umrzeć. Woła po prostu o więcej miłości".

Poza tym Polacy nie chcą i nie potrafią rozmawiać o umieraniu. Dla nich śmierć to temat tabu. I w myślach, i w rozmowach. Większość z nas (siedemdziesiąt cztery procent) myśli o niej bardzo rzadko lub w ogóle nie myśli. Polacy bardzo szybko przyjęli zachodnią kulturę człowieka sukcesu, który wspinając się po drabinie kariery zawodowej, nie ma czasu i ochoty na refleksję o cierpieniu i śmierci. Gdy świat wokół nas agresywnie afirmuje zdrowie, urodę i zabawę, nie wypada myśleć o starości, a tym bardziej o swoim pogrzebie. Wyobrażenie sobie swojego ciała gnijącego w grobie stanowi pogranicze choroby psychicznej i perwersyjnej fascynacji. Społeczeństwa konsumpcyjne — Polacy niczym się tutaj nie różnią — wygnały śmierć ze świadomości, oczywiście z wyjątkiem śmierci wielkich ludzi. My i nasi bliscy nie umrzemy. Śmierć przydarza się tylko ludziom z telewizji i pierwszych stron gazet. Istnieli publicznie, to niech także publicznie umierają.

Układy zamknięte

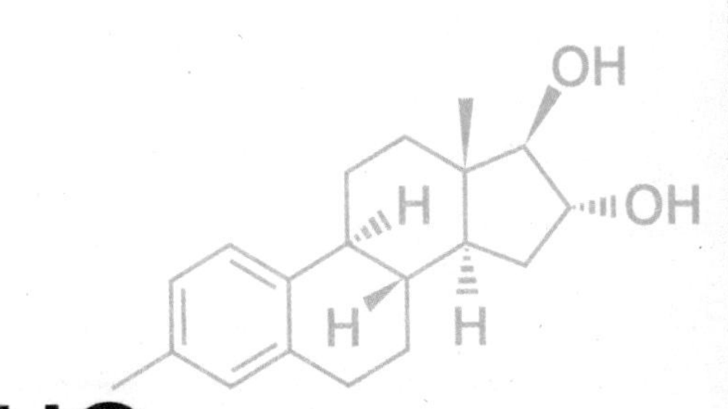

Estrogen

Ojciec Fatmy ma sześcioro dzieci, dwie żony i sklep z biżuterią w centrum Kairu. Gdy Fatma miała dziesięć lat, a jej siostra Heba osiemnaście, ojciec ożenił się z młodą kobietą w Jordanii. Od tego czasu — czyli od czternastu lat — w każdy czwartek wieczorem ojciec wsiada w samochód i jedzie do tamtej kobiety. W poniedziałek rano, dokładnie o dziewiątej, jest znowu w Kairze i otwiera swój sklep. W tym czasie ta druga kobieta urodziła mu czwórkę dzieci — dwóch synów i dwie córki. Fatma nawet nie zna ich imion. Według praw Koranu ojciec mógłby mieć jeszcze dwie żony. Fatma dobrze wie, że gdyby sprzedawał więcej biżuterii, to miałaby kolejne macochy i więcej sióstr lub braci. Ojca po prostu na to nie stać, od kiedy w Kairze na każdym rogu działa jubiler. Bo według tych samych praw Koranu żadna z żon nie może mieć gorzej. Ojciec, szanowany muzułmanin, doskonale o tym wie. Ona też została wychowana w szacunku dla praw Koranu i nie zadaje natrętnych pytań, dlaczego tak właśnie musi być. Nie chciałaby tylko czuć się jak matka, gdy ojciec we czwartki wsiada do samochodu i wyjeżdża do Jordanii. Czasami matka dzwoni do drugiej żony ojca i składa jej urodzinowe życzenia. Za każdym razem czyta je nerwowo z kartki. Zmienia się wtedy jej głos i bardzo drżą jej ręce. Heba zupełnie tego nie zauważa. Kiedyś rozmawiały o tym, ale od momentu gdy Heba wyszła za mąż, istnieje dla niej tylko Koran. I jej bogaty mąż. Dzień po ślubie zaczęła zasłaniać włosy chustą. Nigdy wcześniej tego nie robiła. Nawet ojciec ich nie zmuszał. „Chusta jest znakiem, że należę do Boga. I do mojego męża. Moje włosy także tylko do niego należą", powiedziała sztucznie uroczystym tonem podczas pierwszej wizyty w domu męża. Fatma myślała, że zakrztusi się herbatą, gdy to usłyszała. Wcześniej przez dwa lata i trzy miesiące należały do niejakiego Ahmeda. Ale tylko te na głowie. Te na podbrzuszu i pod ramionami nie należały do nikogo, ponieważ ich nie było. Depilowała je starannie w każdą sobotę woskiem. Chociaż przykładna muzułmanka powinna to zrobić pierwszy raz dopiero tuż przed nocą poślubną. Według Koranu oczywiście. Ahmed przez ponad dwa lata zajmował myśli i sobotnie noce jej siostry. Fatma może tylko przypuszczać, co robili do czwartej rano (tuż przed czwartą dzwonił jej budzik i wstawała, aby w tajemnicy przed rodzicami wpuścić Hebę do domu) z soboty na niedzielę w pustym mieszkaniu jego kolegi. Oczywiście z wyłączeniem sobót czasu ramadanu. Zapewne robili to samo, co ona od kilku miesięcy ze swoim chłopakiem. Przede wszystkim uważali, aby nie rozerwać błony dziewiczej. To bardzo dobrze świadczy o Ahmedzie jako o mężczyźnie. Od początku wiedział, że nie ożeni się z Hebą. Już dawno temu jego ojciec zapłacił majątek za ślub z dziewczyną z bardzo bogatej zaprzyjaźnionej rodziny w jego wsi na południu Egiptu. Krótko mówiąc, uważali. Tyle że Ahmed miał przy tym dużo więcej przyjemności. I to absolutnie zgodnej z nauką Allaha. Koran dopuszcza seks oralny, podobnie jak analny: „Możesz twoją kobietę wziąć od tyłu, ale rób to tak, jak gdybyś brał ją od przodu".

Seks... Każdy, niezależnie od tego, na jaką literę zaczyna się jego nazwa, jest przez Koran dopuszczany. A że dopiero po ślubie, to zupełnie inna sprawa. W ten oto sposób Heba prawdopodobnie weszła w swoje małżeństwo jako „zamknięta". Z rozerwaniem błony kończy się czystość kobiety. „Otwartej" nie poślubi żaden muzułmanin, a według restrykcyjnego islamskiego prawa szarijatu można taką kobietę spokojnie publicznie ukamienować. W niektórych krajach się to praktykuje. W bardzo konserwatywnych pokazuje się nawet w telewizji na żywo. Pierwszy kamień zawsze rzuca ojciec...

Jej chłopak nie był tak uważny jak Ahmed. Albo ona za mało się broniła. Pojechali któregoś wieczoru do Mogattam. Tam, za Kairem, zaczyna się pustynia. Całowali się. Pragnęła go. Potem w jego mieszkaniu zupełnie zapomniała, że nie wolno się jej zapomnieć. Gdy wróciła do domu, zobaczyła małą plamę krwi na majtkach. Trzy dni później odwiedziła ukraińską lekarkę, mieszkającą na przedmieściach Kairu. Za dwieście dolarów załatwia się takie rzeczy od ręki — zastrzyk znieczulający w ścianki pochwy i po trzydziestu minutach znowu była dziewicą. Jeszcze nigdy w życiu nie czuła się tak poniżona...

Postscriptum

Przypuszczam, że większość kobiet niemal organicznie odczuwa poniżenie Fatmy. Ale nawet gdy jej współczują, rodzi się w nich irytacja, a nawet złość. Zadają sobie błędne i moim zdaniem upraszczające sytuację pytanie: „Dlaczego się na to zgadza?". Błąd polega na tym, iż patrzymy na jej życie z (zachodnio) europejsko-amerykańskiej perspektywy. Często także zupełnie myli się nam geografia. Kraje arabskie to nie południowe Indie, gdzie w niektórych regionach wciąż obowiązuje starożytny, absolutnie patriarchalny kodeks Manu, mówiący: „W dzieciństwie kobieta podlega ojcu, w młodości mężowi, a kiedy ten umrze, swoim synom; kobieta nigdy nie może być niezależna". W krajach arabskich ciężarna kobieta nie modli się o syna, wiedząc, że urodzona przez nią dziewczynka nie przejdzie przez piekło na ziemi. Jak czternastoletnia Chenigall Suseela, której tragiczne losy opisał ostatnio brytyjski „The Guardian", po wstrząsającej audycji wyemitowanej przez telewizję BBC. Chenigall pierwsza w historii indyjskiego stanu Andhra Pradeś wygrała batalię o anulowanie trwającego dwa lata małżeństwa z chłopcem z sąsiedniej wioski. Chciała bowiem iść do szkoły. Ponieważ bez zgody męża było to niemożliwe, domagała się separacji, na którą nie zgodziła się starszyzna. Przełom nastąpił dopiero wtedy, gdy zdesperowana dziewczyna zagroziła, że popełni samobójstwo, jeśli zostanie zmuszona do powrotu do męża. Jej postawa, a także wsparcie ze strony organizacji pozarządowej skłoniły starszyznę obu wiosek do podpisania aktu rozwodowego.

Poza tym arabski islam to nie monolit, jeśli chodzi o prawa kobiet. Zjednoczone Emiraty Arabskie pod tym względem różnią się bardzo od graniczącej z nimi, ale bardzo konserwatywnej Arabii Saudyjskiej. W Arabii na przykład „wrogiem islamu jest każdy, kto uważa, że kobiety mogłyby prowadzić samochód". Takie oświadczenie podpisało ostatnio ponad stu saudyjskich sędziów, naukowców i duchownych, którzy stanowczo domagają się utrzymania tego zakazu. Twierdzą oni, że takie pomysły „mają tylko wrogowie islamu, którzy chcą zniszczyć wielką rolę muzułmanek. Chcą doprowadzić do ich zepsucia, a tym samym do zepsucia całego islamskiego świata". Uważają ponadto, że kobieta z prawem jazdy będzie miała więcej zachęt do porzucenia męża, bo będzie jej łatwiej uciec. Dziś, gdy policja przyłapie jakąś Saudyjkę na nielegalnym prowadzeniu auta, wzywa jej męża lub krewnego, który musi przysiąc, że nigdy już do tego nie dopuści. Jestem pewny, że wielu Polaków (chociaż od dawna wiadomo, że to kobiety są lepszymi kierowcami) chciałoby przenieść te zwyczaje nad Wisłę.

Podobną rozbieżność punktów widzenia można zauważyć w odniesieniu do problemu cielesności. Najłatwiej to zaobserwować w pełnym słońcu na plaży, na przykład w Dubaju, na której wypoczywają turystki z Europy Zachodniej, okryte jedynie (coraz mniejszymi) skrawkami kolorowych bikini, i miejscowe kobiety, całkowicie zasłaniające swoje ciała. Zastanawiałem się, co myślą o tym opalające się tam Niemki, Szwajcarki, Włoszki czy Polki. Czy dzięki prawu do realizacji nagości czuły się bardziej wyzwolone i nowoczesne? A okryte od stóp do głów muzułmanki traktowały jako zacofane, prymitywne i podległe jakiejś dziwacznej tradycji lub religii?

Większość Europejek oczywiście nie pamięta, że prawo do publicznego zdjęcia ubrania ma od niedawna. Mierzenie stopnia wyzwolenia prawem do obnażenia ciała może być bardzo mylące. A może wolnością kobiety jest właśnie prawo do pozostania ubraną? Interesująco i pouczająco ilustruje to historia opisywana przez mieszkającego w Austrii chorwackiego eseistę Mile Stoicia. W drugiej połowie dziewiętnastego wieku Austriacy zajęli muzułmańską Bośnię i Hercegowinę. W ramach podporządkowywania sobie dzikiego — według nich — narodu zaczęli wprowadzać między innymi „chrześcijańską" medycynę. Ku ogromnemu zdziwieniu personelu ambulansu zakwefione muzułmanki nie chciały się rozebrać przed austriackimi lekarzami wojskowymi, żądając, żeby badały je wyłącznie kobiety. Kierownik ambulansu natychmiast powiadomił o tym przypadku niesubordynacji ministra zdrowia w Wiedniu. Uzyskał zadziwiającą odpowiedź: „Na miłość boską, skąd mamy im wysłać kobiety lekarki, skoro w całym cesarstwie ich nie mamy?!". Jeśli w ówczesnej Bośni kobieta była okryta szmatą, to w samej Austrii szmatą... była. Dopiero w 1896 roku przyjęto tam ustawę zezwalającą dziewczętom na uczęszczanie do gimnazjum.

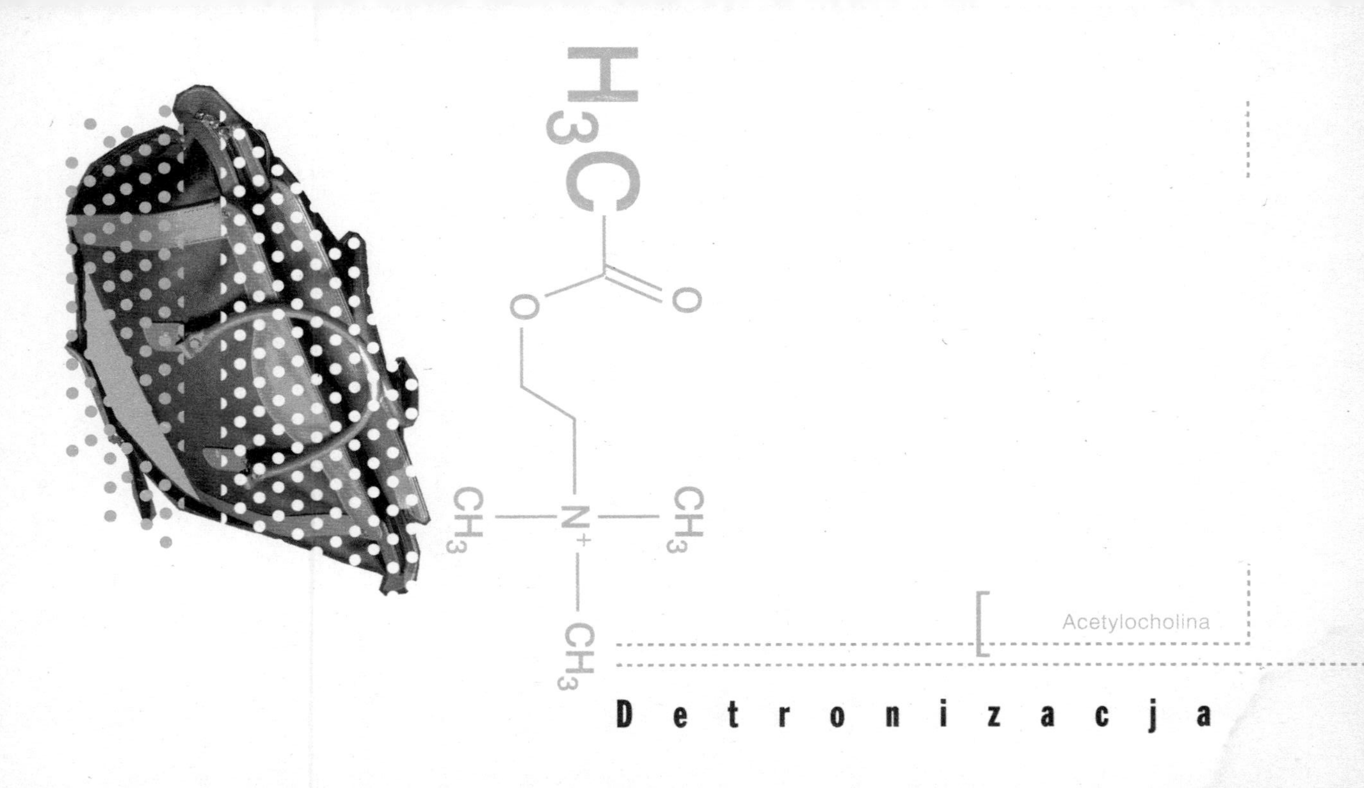

Acetylocholina

Detronizacja

Zazdrościła jej nawet tego, że gdy ojciec czasami brał je obie na kolana, to Julitę zawsze sadzał na lewym. Od strony serca... Przez długi czas nie mogła się także pogodzić z tym, że gdy mama przychodziła w nocy do ich pokoju, to nachylała się tylko nad łóżeczkiem Julity. Czasami płakała, gdy mama zapomniała ją też pocałować. Dzisiaj wstydzi się tego i w myślach — a ostatnio w modlitwach — przeprasza za każdą chwilę czułości, za każdy pocałunek i za każdy uścisk, dotyk, przytulenie, które jej chciwie odebrała lub chciała odebrać tylko dlatego, że nie mogła znieść swojej powolnej detronizacji — jedynej, królującej po wsze czasy córki swoich rodziców.

Julita pojawiła się na świecie, gdy ona miała pięć lat. Pamięta, że mama zniknęła na kilka dni z domu i wróciła o wiele chudsza, z wrzeszczącym zawiniątkiem na rękach. Rodzice zebrali z podłogi w jej pokoju zabawki do kartonu, postawili na tym miejscu drewniane łóżeczko ze szczebelkami, położyli w nim siostrę i zrobili z niego cel swoich pielgrzymek. Dopóki Julita tylko w nim spała, płakała, piła z butelki lub można było się z nią bawić jak z żywą, uśmiechającą się lalką, dopóty wszystko było dobrze. Nie dostrzegała żadnego zagrożenia dla swej dotychczasowej niezaprzeczalnej pojedynczości i wyjątkowości, potwierdzanej nieustanną uwagą i nie dzieloną z nikim miłością. Gdy jednak Julita wydostała się poza szczeble tego łóżka, zdała sobie sprawę, że ta niepodzielność nie jest czymś danym raz na zawsze. W domu pojawiła się nie tylko młodsza siostra — pojawiła się konkurentka, której trudno było sprostać i od której nie można było uciec. Z jednej strony kochała ją i nie wyobrażała sobie, że mogłoby być inaczej, z drugiej — momentami jej nienawidziła.

Dorastały w tym samym domu, jadły kolacje przy tym samym stole, słuchały tych samych słów rodziców i były różnie traktowane. Od niej, od kiedy tylko pamięta, wymagano punktualności, rozsądku, powagi i opiekuńczości. Julicie przebaczano wszystko, co było tego przeciwieństwem. Mając dziewięć lat, odbierała Julitę z przedszkola. Biegła po nią szybko po lekcjach i odprowadzała ją do domu. Któregoś dnia się spóźniła. Zajęte sobą przedszkolanki nie zauważyły, że Julita im uciekła. Sparaliżowana strachem wracała do domu. Gdy zobaczyła ją przed drzwiami, zaczęła całować jak kogoś, kogo przywrócono ponownie do życia. Nie zapomni jednak krzyków ojca i łez matki, która nie pochylała się nad nią, tylko nad roześmianą i wdzięczącą się do wszystkich „biedną Julitką".

Potem przegrywała z nią — tak jej się wydawało — wielokrotnie. Najpierw na prawym kolanie ojca, potem w szkole przy rozdawaniu świadectw, na studiach, przy porównywaniu planów na przyszłość lub mężczyzn. Czuła się w takich momentach odrzucana, mniej ważna, gorsza, bezlitośnie zepchnięta na drugi plan.

Dzisiaj wie — sama jest matką — że to nieprawda. Miłość do dzieci to nie algebra ułamków, którymi można równomiernie i raz na zawsze obdzielić. To znacznie bardziej skomplikowane niż jakakolwiek arytmetyka. Ale wtedy tak czuła. Rozczarowanie, niesprawiedliwość i odrzucenie. Dzisiaj porusza ją też to, iż Julita w pewnym momencie również dostrzegła, że jest wyróżniana i że może to siostrze sprawiać przykrość. Wspomniała jej o tym któregoś wieczoru dwa lata temu, gdy upijały się winem w restauracji przy sopockiej plaży. Zadzwoniła i powiedziała, że chce się koniecznie z nią zobaczyć i żeby to nie było u rodziców. Spotkanie było niezwykłe. Tak naprawdę chciała — tylko jej — powiedzieć, że wyjdzie za mąż, że kocha i że jest szczęśliwa. „Tobie pierwszej..." i mocno uścisnęła jej rękę. Nie wiedziała, że Julita potrafi płakać ze wzruszenia. Zawsze sądziła, że jeśli płacze, to przeciwko niej. Na pokaz. Aby rodzice... Co za idiotyczna bzdura! Jak mogła tak myśleć?!

Rozmawiały. Chyba po raz pierwszy w życiu tak szczerze. „Pamiętasz — zapytała Julita — jak tata pozwalał mi wracać z dyskotek przed północą, a ty w moim wieku musiałaś wracać przed dziesiątą? Chociaż wiedział, że dyskoteki zaczynają się o dziewiątej. Pamiętasz, prawda? I że wracałam przed dziesiątą, żeby nie było ci przykro. Pamiętasz?" Nie pamiętała. Dzisiaj przeprasza ją za tę niepamięć.

Sześć miesięcy potem były siostry urodziny. Julita wysiadła z autobusu na przystanku naprzeciwko jej domu w Gdyni. Spieszyła się. Wiedziała, że jest spóźniona. Zawsze się spóźniała. Przebiegła przez ulicę tuż przed nadjeżdżającym samochodem osobowym z przyczepą. Kierowca gwałtownie zahamował. Stalowy pordzewiały łącznik oderwanej od samochodu przyczepy przebił ją na wylot...

Pocałunek feministki

Kortyzol

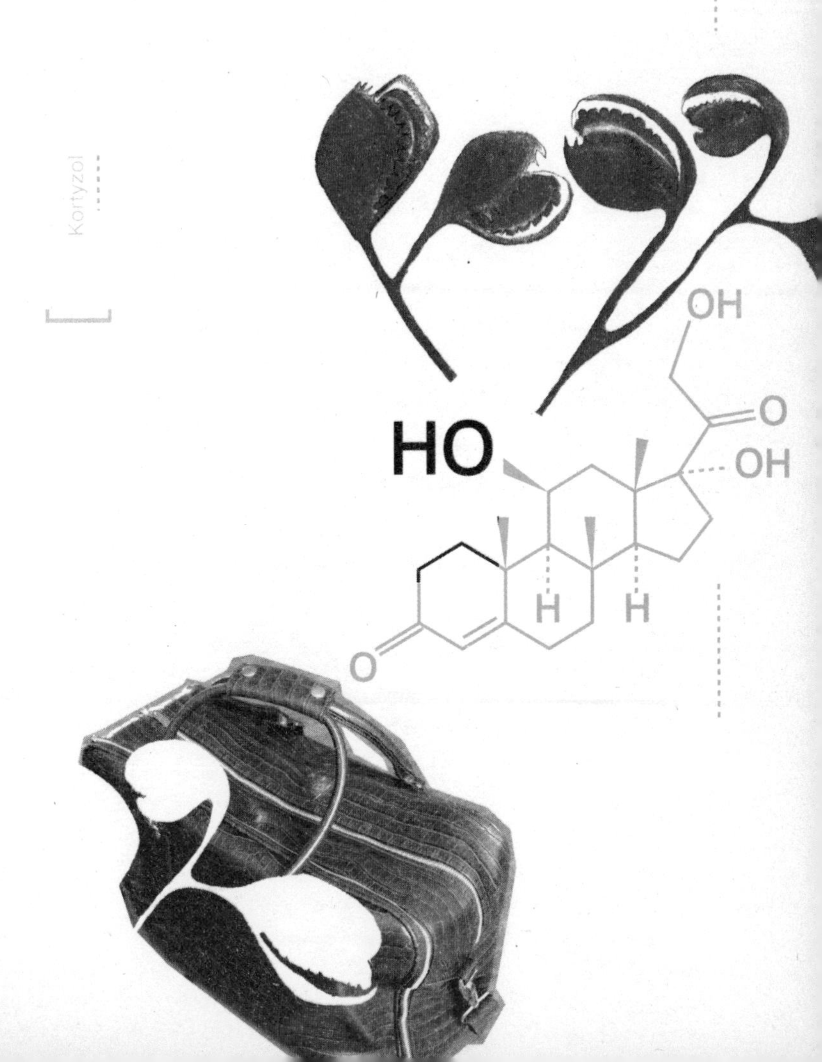

Pewnego razu Kazimiera Szczuka pocałowała mnie w rękę. Zrobiła to publicznie, więc mogę się do tego publicznie przyznać, nie narażając się na atak zazdrości bliskiej mi kobiety. Trochę oddalony od Polski, nie wiedziałem, że nie jestem — poczułem rozczarowanie — wyjątkiem, że Szczuka często całuje mężczyzn po rękach i że niektórzy nawet na to czekają, aby przeżyć z nią swój pierwszy raz. Na dodatek nie wiedziałem też, że zostałem pocałowany przez „znaną polską feministkę". Tak nazwał Szczukę warszawski taksówkarz, który odwoził mnie po tym incydencie do hotelu.

Poczułem w tym momencie szczerą zazdrość. Ja także jestem feministą, ale żaden taksówkarz w żadnym polskim mieście nigdy o mnie nie słyszał. Zapytałem go więc, kim jest feministka. Odpowiedział mi bez zastanowienia: „Wrednym, głupim, tłustym, nie ogolonym babskiem".

Nie wszystko mi się zgadzało. Kazimiera Szczuka jest mądra, szczupła i ogolona. Później w hotelu zastanawiałem się, dlaczego feminizm wzbudza w narodzie taką nienawiść. Może to same feministki są temu winne? Taka Alice Schwarzer na przykład, główna niemiecka feministka, oderwała się zupełnie od rzeczywistości. Gdyby było inaczej, nie napisałaby w swoim feministycznym pamflecie z 1975 roku (*Mała różnica i wielkie konsekwencje*): „Seks jest gwałtem, a miłość narzędziem poniżenia i wyzysku kobiet". Ponadto napiętnowała macierzyństwo jako „biologiczne zniewolenie kobiet" oraz zamieściła na koniec szokujące i absurdalne moim zdaniem porównanie sytuacji społecznej kobiet z sytuacją Żydów w III Rzeszy. To nie jest już nawet feminizm radykalny. To wypluwanie jadu przez okularnika.

Jej wypowiedzi nie tylko budziły kontrowersje. Łamały także zasady tolerancji. I w pewnym sensie z powodu swego zapiekłego radykalizmu Schwarzer mimowolnie ośmieszała feminizm. Gdy coś jest karykaturalnie ortodoksyjne, zaczynamy się z tego śmiać i przestajemy traktować to poważnie. To normalna reakcja, prawda?

Ale nie ona jedna poszła w kierunku, który kojarzy mi się z terroryzmem feministycznym. W tym względzie dorównuje jej — albo nawet ją przewyższa — inna przedstawicielka „feministycznych Czerwonych Brygad", Andrea Dworkin, Amerykanka żydowskiego pochodzenia. Zasłynęła ona między innymi ze stwierdzenia, iż pornografia jest wstępem do gwałtu, a małżeństwo, jak prostytucja, to „instytucja skrajnie niebezpieczna dla kobiet". Razem ze swoją ideologiczną koleżanką Catharine McKinnon wykrzykiwały, że pornografia to nie wypowiedź, lecz czyn, a „kobieta, która trzyma w domu «Playboya», jest jak Żyd, który ma na stole *Mein Kampf*". Gdyby jej książka *Pornografia: mężczyźni posiadający kobiety* miała pilota, to chciałoby się ją po prostu wyłączyć jak niesmaczny, skrajnie antypornograficzny film. Gdy zajmuje ją flirt, pisze: „Aby uwieść kobietę, gwałciciel niekiedy zadaje sobie trud, by postawić butelkę wina". Gdy wypowiada się o seksie, to stwierdza: „Współżycie jest jednym ze środków, a może nawet głównym środkiem fizjologicznego poniżenia kobiety; uświadomienia każdej jej komórce przez każde pchnięcie, aż ulegnie, że ma niższy status". Poza tym Dworkin obsesyjnie przyrównuje akty seksualne zachodzące pomiędzy kobietą i mężczyzną do gwałtu. Nawet pożądanie, któremu ulegają mężczyźni, kojarzy się jej z aktem przemocy i wyrazem męskiej dominacji. Czuję się osobiście bardzo nieswojo, gdy konstatuję na podstawie jej słów, że w noc poślubną gwałciłem żonę i powinienem być za to ukarany. Najlepiej jeszcze tutaj, na ziemi, a nie dopiero potem w piekle. A Dworkin żąda dla gwałcicieli kar najwyższych (z czym się zgadzam), ale na każdym kroku sugeruje także wprowadzenie ekstremalnie surowego prawodawstwa i ustawodawstwa wobec pornografii i osób ją rozpowszechniających (z czym się nie zgadzam).

Życie, historia i niepodważalne statystyki pokazują, jak bardzo Dworkin się myliła. Kraje liberalnie podchodzące do pornografii (jak Dania, Szwecja czy Holandia) mają najniższe wskaźniki przestępczości na tle seksualnym, podczas gdy kraje o drakońskich przepisach (na przykład USA) — jedne z najwyższych. Ankiety i analizy socjologiczne, przeprowadzane regularnie od kilkudziesięciu lat, dowodzą, że małżeństwo i rodzina (cokolwiek o nich mówić) są najbardziej pożądanymi celami życiowymi zdecydowanej (97,5 procent) większości kobiet. Kobiety nie chcą być same. Nawet jeśli Andrea Dworkin uważa, że to wstęp do gwałtu. Łazienka, strasząca je rano i wieczorem jedną szczoteczką do zębów, jest dla nich przekleństwem.

Dworkin swoimi twierdzeniami do pasji doprowadzała nie tylko mężczyzn. Całą armię wrogów miała także wśród kobiet. Kilka lat temu Elaine Showalter, amerykańska krytyk literatury (specjalizująca się w literaturze wiktoriańskiej), przez wiele kobiet uznawana za przywódczynię akademickiego racjonalnego feminizmu, autorka klasycznej już dzisiaj książki *W kierunku poetyki feministycznej*, napisała na jej temat kilka gorzkich słów w jednym ze swoich esejów: „Nie życzę Dworkin nic złego, ale wątpię, aby wielu kobietom chciało się wstać o czwartej rano, aby oglądać jej pogrzeb" (Dworkin zmarła 9 kwietnia 2005 roku w Waszyngtonie). Z kolei w 2001 roku Mimi Spencer, feministka i zaprzysięgła przeciwniczka Dworkin, napisała okrutnie: „Jedyną wyraźnie owłosioną kobietą na pierwszej linii frontu feministycznego jest Andrea Dworkin. Ale ona wygląda, jakby się nigdy nie depilowała, nie myła, nie podmywała ani nie czyściła zębów nitką — dlatego się nie liczy".

Każdy przyzna, że taka wypowiedź to dopiero gwałt! Feministka gwałci drugą feministkę. I to słowami. Przekracza przy tym wszelkie granice: krytyki, dobrego smaku i godności. Brzmi to jak obelga i potwarz. Szczególnie w wypadku kobiety. Przy Spencer wypowiedź znanego antyfeministy — stróża nocnego, listonosza, pracownika stoczni, stręczyciela na usługach luksusowych burdeli i przy tym porywającego wielu swoją prozą, pisarskiego punka Charlesa Bukowskiego (urodzonego w Niemczech; ojciec był Polakiem, matka Niemką), że: „Feminizm istnieje tylko po to, aby brzydkie kobiety zjednoczyły się we wspólnotę" — brzmi jak komplement.

Mężczyźni też nie obchodzili się z Dworkin delikatnie. Najbardziej przywiązali się do prymitywnego argumentu, iż gwałt zajmuje ją tak bardzo tylko dlatego, że nie podoba się żadnemu mężczyźnie. To nie tylko idiotycznie absurdalny zarzut, ale także zupełnie nieprawdziwy. Dworkin podobała się mężczyznom i kobietom. Mówiła wprawdzie o sobie, że jest lesbijką, ale nie przeszkodziło jej to przez trzydzieści lat sypiać pod jednym dachem z pisarzem homoseksualistą, nazywającym siebie feministycznym aktywistą — Johnem Stoltenbergiem. Związek ten Dworkin określiła kiedyś jako „bardzo głęboki i ważny", a Stoltenberga traktowała jak miłość życia. W 1998 roku wyszła za niego za mąż. Po jej śmierci w jednym z wywiadów Stoltenberg zdradził pewną tajemnicę: „Zawsze wiedziałem, że nie należała do mnie. To tylko nasza miłość należała do nas. Dlatego nigdy nikomu nie powiedzieliśmy, że jesteśmy małżeństwem. Ludzie by tego nie zrozumieli. Myśleliby, że ona należy do mnie. A my nie chcieliśmy tego nonsensu...".

Szczuka przy Dworkin i Schwarzer jest zupełnie nieszkodliwa i trochę nawet infantylna. Niech już całuje tych mężczyzn po rękach. Powinna jednak popracować nad techniką...

O b s e s j a

Heroina

Chciałaby być jego kochanką i chciałaby być kochana. W większości przypadków to się wyklucza. Poza tym już więcej nie chce być żadnym przypadkiem. Za bardzo bolało ostatnim razem, aby zaryzykować ponownie. Już nigdy więcej nie pozwoli się kaleczyć złym, dzielonym z innymi kobietami dotykiem. Gdyby miała go mieć (do dzisiaj nie wie — albo ma za mało odwagi, aby wiedzieć — co to naprawdę mogłoby oznaczać), wolałaby, aby odbyło się to w czystości. Mniej się tęskni do pocałunków i pieszczot. I nie ma poczucia, że się kogoś posiadło, a więc — teoretycznie — nie ma zazdrości. Co wcale nie znaczy, że jest przy tym mniej smutno. Na dodatek, mając trzydzieści pięć lat, trudno „mieć mężczyznę" i zachować jednocześnie czystość. Coś takiego jak czystość — twierdzi Alicja, jej przyjaciółka z pracy — zdarza się siksom z ogólniaka albo rozpaczliwie wiernym i tak naprawdę zrozpaczonym żonom, które miesiącami lub nawet latami czekają, aż ich mężom przyjdzie do głowy, że może mogliby — zamiast ze mną na przykład — tak dla odmiany z nimi. „Nie sądzisz, że w tej swojej obsesji jesteś bardziej naiwna od tych małolatów, chociaż masz tyle lat, że spokojnie mogłabyś być ich matką?!", dodała ze śmiechem. Alicja potrafi się śmiać nawet wtedy, gdy jest bardzo smutna. A taka jest najczęściej. Dlatego ona i tak woli własny okresowy smutek. Taki jak ten wczorajszego poranka. Na lotnisku.

Obudziła się za wcześnie. Jak zawsze, gdy nie wolno się spóźnić. Wzięła prysznic, spięła włosy tak, jak on lubi, odkrywając szyję. Gdyby miał ją kiedyś całować, to chciałaby, aby zaczął od szyi. Ale gdyby zaczął od ust, piersi, podbrzusza, to też... Co „też"?!!! Połknęła tabletkę. Najpierw myje zęby, a potem łyka tabletkę. Dzisiaj tę z przegródki „poniedziałek". Włożyła sukienkę, którą kupiła dla niego wczoraj. Tabletki także kupuje tylko dla niego. Z przystanku dojechała na lotnisko pierwszym kursem miejskiego autobusu. U zaspanej kelnerki zamówiła kawę. Zdjęła płaszcz. Wyłączyła telefon, aby nikt nie przeszkadzał. Trochę przesadnie — o szóstej rano i tak nikt do niej nie dzwoni. O szóstej wieczorem, oprócz Alicji, od dwóch lat także nikt. Poprawiała włosy, dotykała warg, nerwowo spoglądała na zegarek. Zobaczyła go, gdy wbiegał spóźniony, ciągnąc za sobą walizkę. Zapamiętała błękit rozpiętej koszuli, rozwichrzone włosy i to, że jest nieogolony. Lubi go w błękitnych koszulach. Jego oczy są wtedy jeszcze bardziej niebieskie. Ale dzisiaj znowu była za daleko, aby je dostrzec. Była wdzięczna dziewczynie przy komputerze za to, że tak długo wystawiała mu bilet. Przez chwilę miała nawet wrażenie, że spogląda w jej stronę. Podniosła się gwałtownie z krzesła, rozlewając kawę. Nie była pewna, czego chciała bardziej: uciec czy podbiec do niego. Po chwili zniknął w korytarzu prowadzącym do odprawy paszportowej.

Zawsze znika. Albo w jakichś korytarzach, albo za jakimiś drzwiami, albo w tłumie obcych ludzi, którzy go otaczają. Od dwóch lat czeka na to, że ją zauważy. Buduje bliskość, o której on jeszcze się nie dowiedział. Tylko czasami w desperacji zauważa, że to absurd i że Alicja ma rację. Niewidoczna, odprowadza go na dworce, lotniska, zjawia się w różnych miastach na wykładach, które on prowadzi, przysiada do stolików w restauracjach, w których bywa, przechadza drogami, którymi on musi przejść, aby zniknąć w samochodach lub taksówkach, zabierających go w miejsca, w których ona także chciałaby być. Gdy zna adresy tych miejsc, zjawia się tam chwilę po nim, z lękiem rozglądając się dookoła, czy nie ma tam jego żony. Widziała ją tylko raz. Stała kilka kroków od niej, gdy po jakimś spotkaniu znowu szczelnie obstąpił go tłum. Nie poświęcił swojej żonie nawet jednego spojrzenia, zanim zniknął w kolejnym korytarzu. Obie były niewidoczne, ale nie tak samo nieważne. Pierwszy raz pomyślała, że o wiele mocniej zabolało to jego żonę. Ale wkrótce o tym zapomniała i wszystko wróciło do normy.

W uległej, lojalnej, zdyscyplinowanej samotności dalej poluje na każdy skrawek informacji o nim, a tymczasem, trwając w postanowieniu czystości, grzesznie łyka dla niego co rano tabletki antykoncepcyjne, wyuzdanie fantazjuje o nim, wchodząc z kieliszkiem wina do wanny, zapalając świece w sypialni lub przymierzając bieliznę w butikach. Wybiera dla niego koszule, krawaty, szaliki, a perfumy, którymi on pachnie, stawia w łazience obok swoich. Gdy ma ochotę na nowe filiżanki, to zawsze kupuje dwie, zastanawiając się, jaką herbatę chciałby z nią wypić. Chyba nikt w Warszawie nie ma w domu tylu herbat co ona...

Dzisiaj rano w drodze do pracy weszła do kościoła. Nie modliła się. Chciała się tylko zatrzymać na chwilę. Wychodząc, w ławce tuż przy drzwiach zauważyła jakąś kobietę. To była jego żona. Płakała...

Zapominanie

Dopamina

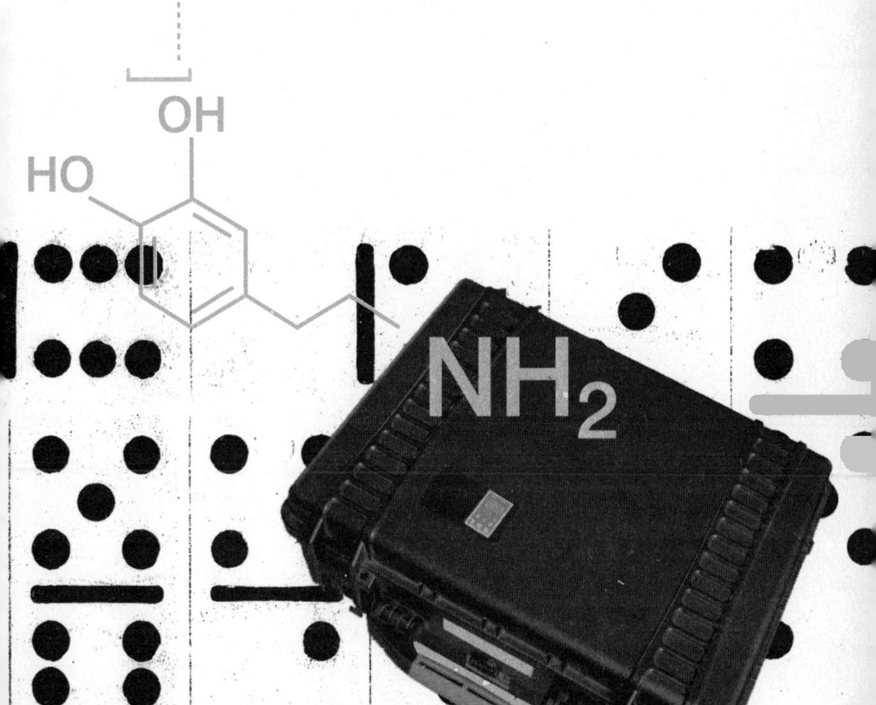

Czasami trzeba zapomnieć siebie, swoje imię, jakąś część życia. Może trzeba zapominać dopóty, dopóki nie zrodzi się tęsknota za samą sobą. Opowiem ci przemilczany akt zapominania.

Pierwszy miał córkę. Miała tyle lat, ile ja, kiedy umarł mój ojciec. Drugi miał tyle lat, ile mój ojciec, kiedy umierał. Trzeci mógł mieć tyle lat, ile mój ojciec, gdyby teraz żył. Czwarty mógłby być moim ojcem. Nie wiedzieli o mnie prawie nic. O sobie wiedzieli jeszcze mniej. Na początku ze mną rozmawiali, potem chcieli tylko mnie dotykać. Wydawało się im, że gdy brakuje słów, to dotyk może je zastąpić. Wiem, że ty wiesz, że tak nie jest.

Nie usypiałam przy żadnym z nich. Żeby zasnąć przy kimś, nie można się bać poranka i już przed zaśnięciem trzeba się cieszyć na następną noc. Poranków, ich pośpiechu, mojego zawstydzenia i ich nieprawdziwych obietnic bałam się najbardziej. Czasem patrzyłam, jak śpią. Śpią i śnią, kilka minut, kilka godzin, kilka razy. W hotelach, w tamtym mieszkaniu, w moim mieszkaniu, w innym mieszkaniu. Czasami zgadywałam ich sny. Polubiłam to. Chciałam zapamiętać. Tak samo jak chciałam zapamiętać moje nadzieje, ich przyrzeczenia, moje otarte kolana, ich smak, moją otartą do krwi pamięć. Zapamiętać każdą nagość i każde jej ukrywanie. Stopić w jedno to, co stopić się nie dawało, ponieważ zdążyło się do tego czasu wypalić. Potem chciałam zmyć z siebie ślad jednych dłoni, by oddać się innym. Z zapomnienia w zapomnienie. Z podróży w podróż. Z początku w początek. Z każdym z nich miałam tylko początek. Kobiety chciałyby do początków wracać, ale właśnie tylko wracać. Z jakiejś wspólnej drogi.

Na prawym nadgarstku noszę drogi szwajcarski zegarek. Podarował mi go ten, który był jak czas oczekiwania. Miał pieniądze, ale był tak zajęty, że nigdzie go nie było. Ani przy mnie, ani u jego żony, ani na spacerach z dziećmi, ani nawet wtedy, gdy chciałam mu powiedzieć, że go za to czekanie nienawidzę. Ciągle był tylko z sobą, nawet gdy bywał, na krótko, u swoich nowych kochanek. Mój ojciec kochał zegarki, ale natychmiast zapominał o nich, gdy ja miałam dla niego czas.

Na palcu lewej dłoni noszę pierścionek z diamentem. Wiosną podarował mi go ten, który miał być jak wieczność. Przeminął, zanim zdążyło nadejść lato. Bardzo chciałam, aby chociaż raz ogrzał ten diament, biorąc mnie za rękę i nie myśląc o tym, że zauważą to inni. Był zbyt publiczny, aby zrobić to publicznie. Czasami, raniąc się przy tym, dotykałam tego diamentu opuszkami palców prawej dłoni. Bolało dopiero wtedy, gdy zaczynało się zrastać. Ojciec kupił mi kiedyś na jarmarku w Kazimierzu watę cukrową i przezroczyste szkiełko oprawione w cienki pasek blachy. Gdy ściskał moją rękę, to czułam, jak puchną mi palce, oczko się topi i tworzymy z ojcem jedność. Pierścionek ten — pogięty i zaśniedziały kawałek pamięci zamkniętej w zeszklonej łzie — leży w kartonie z pamiątkami po ojcu. Gdy zamykam oczy i biorę go do ręki, to wydaje mi się, że ciągle rozgrzewa mnie ciepłem jego dłoni.

Niektórych książek nie pozwalam dotknąć nikomu bliskiemu. Aby przypadkiem nie dał się zwieść ich fałszowi. Tylko one mi pozostały po tym trzecim. Pisał w nich o wielkiej miłości, a na końcu okazało się, że to tylko zmyślone historie o nie spełnionej miłości do samego siebie. Mój ojciec nigdy nie przeczytałby mi bajki z takim zakończeniem.

Czwarty. Niekiedy wierzę mu nawet przez sen. Jego sen. Dopóki jeszcze śnimy. Czasami, kiedy zasypiam w jednym pokoju, on upija się w drugim. Zasypiamy tak w dwóch pokojach, na dwóch posłaniach, w wielu miastach, w jednym świecie. Nie walczę z tym. Czasami, kiedy żaden alkohol nie może zmienić stanu, w który zapada, kładzie się obok mnie na podłodze przy łóżku. Czasami dopełza tam, raniony samotnością naszych ciał. Mówi mi, że tylko przy mnie ta samotność ma sens. Wierzę mu. Wierzę nawet wtedy, kiedy daje mi jej imię, jej twarz. We śnie, przez sen, dopóki śnimy. Dotyka nie mnie, lecz tego, co utracił. A może dotyka tego, czego nie prześnili razem. Pozwalam mu na to. Potem mu opowiadam to, czego nikt inny nigdy nie usłyszy. Bo gdy zniknie, zapomnę wszystko. Z zemsty. Nie można lepiej się zemścić, niż zupełnie wymazując go z pamięci.

Wszyscy czterej są ojcami i wszyscy mają córki. Wszyscy wciąż się mijamy. W obcych miastach, na ulicach, dworcach, lotniskach, parkach, plażach i w księgarniach. I tylko czasem spotykamy się w zamknięciu moich myśli. Wszystko było przypadkiem. Nakładającymi się na siebie zbiegami okoliczności. A może nawet pokrywającymi się zbiegami okoliczności. To już prawie cztery lata. Coraz bardziej tęsknię za sobą. Tą czystą, dziewiczo naiwną sprzed czterech lat. Chcę zacząć wszystko od nowa. Zrobić miejsce dla ciebie. Albo dla następnych czterech...

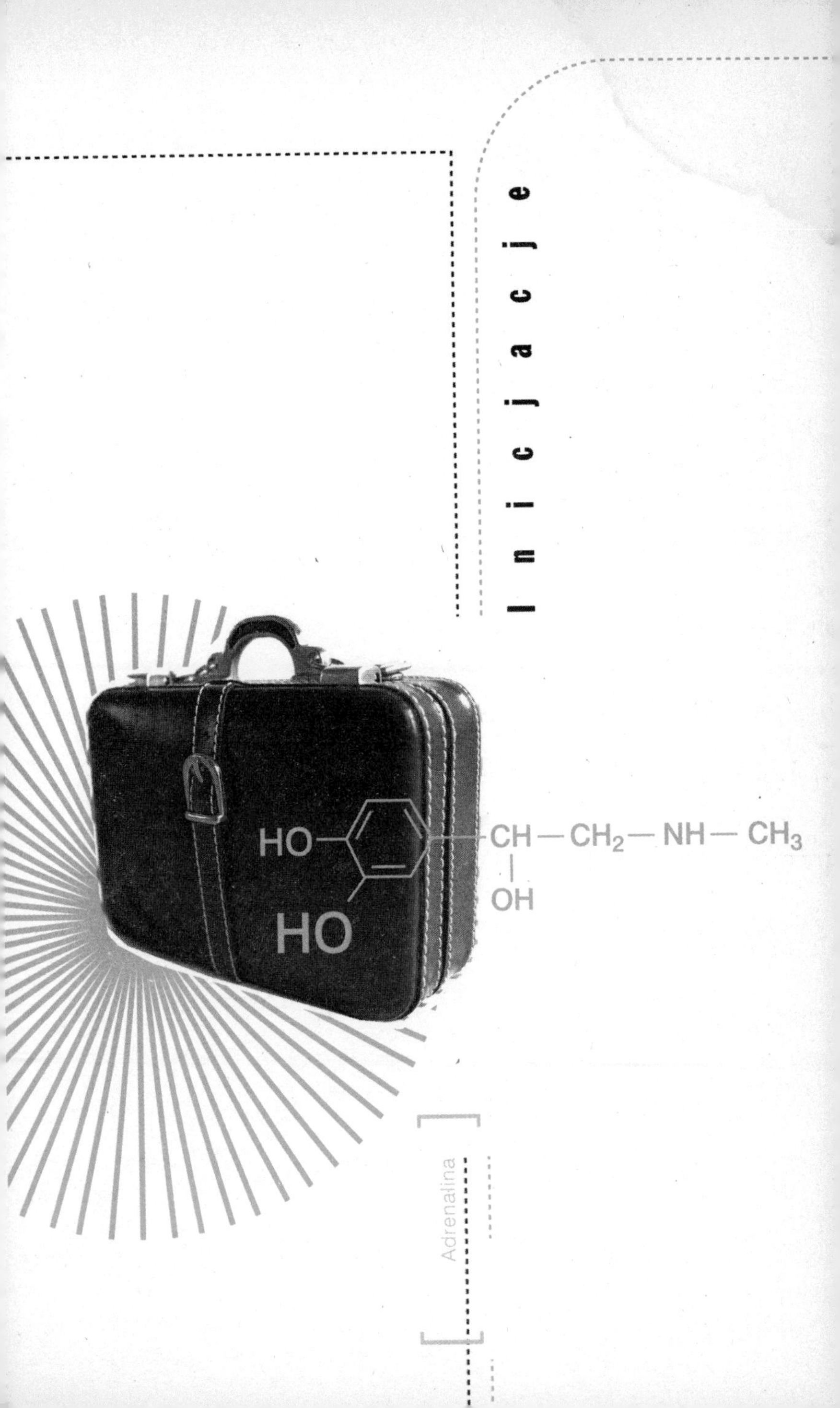
Inicjacje
HO
HO
CH — CH2 — NH — CH3
OH
Adrenalina

Rozmawiałem ostatnio o seksie z moim niemieckim kolegą. Dokładnie rzecz biorąc, o życiu seksualnym jego szesnastoletniej córki, która na początku sierpnia leci na wakacje do Grecji ze swoim osiemnastoletnim chłopakiem. Ustaliliśmy — mój kolega jest zafascynowanym matematyką nauczycielem fizyki w jednym z frankfurckich gimnazjów — że jest „zaniedbywalnie mało prawdopodobne", iż przez dwa tygodnie na Krecie jego córka będzie wieczorami w pokoju hotelowym grała w szachy lub rozmawiała ze swoim chłopakiem o kulturze antycznej. Tym bardziej że Laura nie potrafi grać w szachy. „Chociaż za to płacę, to nawet nie wiem, czy w pokoju będą dwa łóżka", żalił się zaniepokojony i bezradny ojciec. Zapytałem go, czy rozmawiał o tym z córką. Zaprzeczył. „Co miałbym jej powiedzieć?! Że ja w jej wieku «grałem w szachy» w namiocie i że byłem wtedy studentem?! To jest już inne pokolenie. Oni swój pierwszy raz, erotykę, kobiecość przeżywają o wiele wcześniej i zupełnie inaczej". Zapamiętałem także jego żartobliwy komentarz na koniec naszej rozmowy: „Nieraz, gdy w czasie lekcji robię doświadczenia z elektromagnesem, nie wiem, czy słodkie uśmiechy na twarzach dziewczyn z pierwszych ławek to wynik fascynacji moim eksperymentem, czy wynik działania pola magnetycznego na ich zakolczykowane miejsca intymne".

Kiedy ja odkryłem kobiecość? Najpierw — wtedy oczywiście nie identyfikowałem jej z tym słowem — kobiecość kojarzyła mi się z długimi rzęsami, nieśmiałością, rumieńcem na twarzy i kolorowym piórnikiem w tornistrze. A także z płaczem. Zawsze zdumiewała mnie i imponowała mi w pewnym sensie odwaga dziewcząt — koleżanek z klasy — w okazywaniu uczuć. Wydawało mi się to już wtedy fascynujące.

Moje pierwsze wyobrażenie o erotyce zaniepokoiło mnie. Ukradkiem spoglądałem na rosnące, chyba w ósmej klasie, piersi koleżanek i im bardziej one rosły, tym bardziej wydawały mi się niedostępne. Wtedy nie było MTV i reklam bielizny na ulicach, a cielesność kojarzona z erotyką ograniczona była do „wyuzdanych" i mrocznych filmów Bergmana dozwolonych od osiemnastu lat. Erotyka miała dla mnie więcej wspólnego z wierszami niż ze stanikiem lub stringami. I tak było długo.

W wieku piętnastu lat zacząłem naukę w męskiej szkole. Nie było tam żadnych dziewcząt, a ich nieobecność sprawiła, że zaczęliśmy — nie tylko ja — idealizować kobiety. Miałem siedemnaście lat, gdy wydawało mi się, że pierwszy raz dotknąłem ustami kobiecej piersi. Dziewczynka miała na sobie wtedy gruby granatowy sweter, a pod nim białą plisowaną bluzkę i stanik. Sweter pachniał proszkiem IXI i od jej skóry dzieliły moje wargi trzy warstwy tekstyliów. Ale dla mnie było to ogromne przeżycie. Słała do mnie potem piękne listy z odciśniętymi ustami (wcześniej pomalowanymi szminką podkradaną matce), na których wypisywała swoje imię. W postscriptum były zawsze wiersze Pawlikowskiej-Jasnorzewskiej. Niektóre umiem na pamięć do dzisiaj. Swojego pożądania natomiast zupełnie nie pamiętam. Zostawiła mnie po kilku miesiącach dla innego. Najbardziej żałuję, że w rozpaczy spaliłem te listy. Dzisiaj wydaje mi się, że wraz z nimi spłonęły wtedy moje pierwsze prawdziwe miłosne uniesienia.

Pierwszy raz mężczyzną poczułem się dopiero 28 czerwca 1983 roku. I to znowu było przeżycie bardziej podniosłe niż zmysłowe. Tego dnia urodziła się moja córka Joanna. Męskość ma dla mnie bardzo mało wspólnego z pożądaniem. W mitologii greckiej jej wyznacznikiem jest ojcostwo. W kulturach prymitywnych obchodzony uroczyście tak zwany akt inicjacji polegał najczęściej na uznaniu zdolności do ojcostwa, a nie do spółkowania. Napływanie krwi do ciała jamistego prącia i zatrzymywanie (erekcja) jest spowodowane obecnością w niej zdumiewająco prostej substancji chemicznej (znanej pod nazwą cGMP) i nie ma nic wspólnego z męskością. Wyższe niż człowiek stężenie cGMP we krwi (w stanie seksualnego pobudzenia) mają nie tylko bliskie nam ewolucyjnie goryle, makaki i bonobo, ale także knury i nietoperze.

Kult „pierwszego razu" jest ekstremalnie przesadzony i pęka pod wpływem danych statystycznych jak błona dziewicza. Według raportów szacownego Instytutu Kinseya (Bloomington, USA) tylko osiem i pół procent kobiet związało się na stałe z mężczyznami, z którymi przeżyły swój „pierwszy raz". I tylko niecały jeden procent tych nielicznych uznało swój „pierwszy raz" za „determinująco ważne wydarzenie". Smutnie mały niecały jeden procent! Im dłużej żyję, tym ważniejszy wydaje mi się mój raz ostatni.

Intensywność odczuwania rozkoszy jest deprymująco rosnącą funkcją czasu trwania tak zwanego czasu odstawienia. Poeci — patetycznie — nazywają ten okres tęsknotą. Uzależniony od narkotyków ćpun, który po wyjściu z więzienia wstrzykuje sobie pierwszą porcję heroiny, przeżywa absolutną rozkosz, jednoznacznie utożsamianą — jak pokazują badania neurobiologów — z orgazmem. Nie znaczy to wcale, że będzie się modlił do swojej strzykawki lub pisał dla niej erotyki. „Pobieranie" rozkoszy nie jest dla mnie żadną determinantą fenomenu miłości. Najważniejszy jest dotyk.

Pragnienie dotyku jest jednym z głównych pragnień wszystkich naczelnych. I to od dawna, jak pokazują prace historyków ewolucji. *Homo sapiens* wyróżnia się tutaj tylko tym, że o przyzwoleniu na pierwszy, inicjujący dotyk pisze wiersze i rozprawy naukowe lub komponuje opery czy symfonie.

Mimo bagażu tej wiedzy, swoich doświadczeń i rodzicielskiej intuicji ojciec Laury nadal jest jednak wystraszony, zaniepokojony i tak naprawdę bezradny. Erotyka od zawsze jest nieuniknioną (i niestety najkrótszą) fazą miłości. Pisali o tym greccy klasycy i pisał o tym Freud. Bardzo pięknie mówił także o tym w swoich wierszach ksiądz Jan Twardowski. Pomijając całą duchową magię erotyki, jako chemik potrafię narysować wzory strukturalne molekuł pojawiających się na receptorach komórek odpowiedzialnych za ten stan i zachwycić się nimi. Ci, którzy się tego stanu wyrzekają — kłamią albo mają poważną wadę genetyczną. Bo receptory mają z pewnością. Receptory mają nawet bezmózgowe jednokomórkowe hymeny. Laura ma ich dużo więcej...

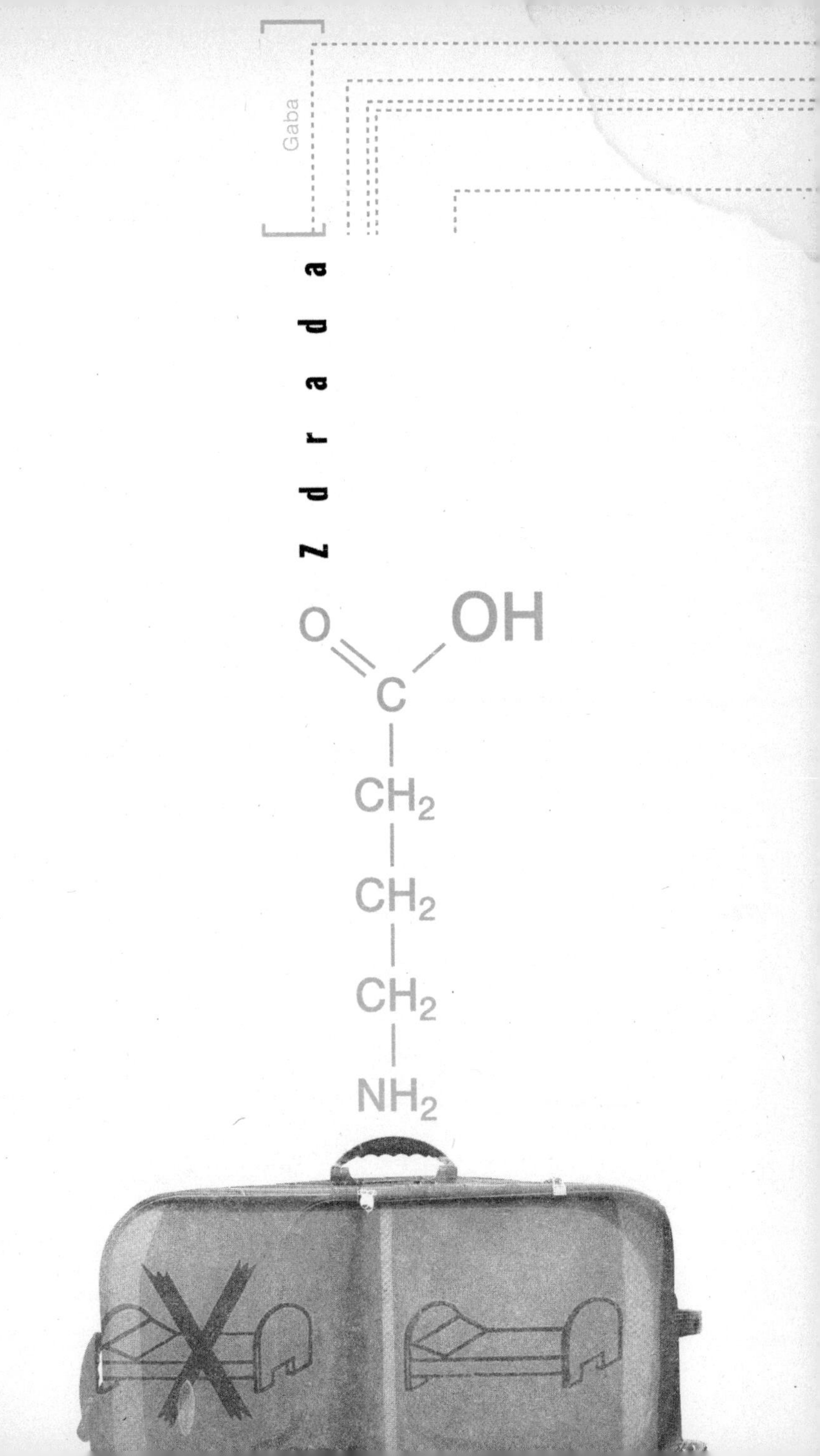
Gaba
Zdrada
O
OH
C
CH_2
CH_2
CH_2
NH_2

Spakowała jedną trzecią życia w dwie podróżne torby i odeszła. Ta z rzeczami z ostatnich dwóch lat była prawie pusta. Kilka albumów z fotografiami, plik listów związanych zieloną wstążką, dwa bukiety zasuszonych białych róż, dwie puste butelki po winie oklejone stwardniałym woskiem z wypalonych świec, woreczek muszli, które zebrali na plaży podczas wspólnego urlopu w Portugalii, podziurawiony jego zębami stanik, który miała na sobie podczas ich pierwszej nocy w hotelu we Wrocławiu, trzy książki, które czytali sobie na głos, kilka płyt CD, które zna na pamięć, i stary jarmarczny budzik, który każdego poranka miał zaczynać swoim terkotem nowy dzień początku ich wieczności. Bo przecież oni mieli być razem bez końca...

Odchodziła w zamierzonym pośpiechu. Wymyśliła sobie, że tak będzie mniej boleć. Albo jeśli nie mniej, to przynajmniej krócej. Taksówkarzowi zapłaciła za dotychczasowy kurs i poprosiła, aby czekał na nią pod blokiem nie dłużej niż dziesięć minut. Gdyby wróciła do tego czasu, to mieli jechać na lotnisko. Dała sobie dziesięć minut, żeby zatrzeć ślady po największej miłości swojego życia i uciec. Bo to była ucieczka. Nie chciała, aby ją po raz kolejny zatrzymywał, tłumaczył, przekonywał, obezwładniał czułością nocy i obietnicami, które rano nie miały już znaczenia.

Zaczęło się banalnie. Spotkała go przypadkowo na urodzinach koleżanki z biura. Ona była pewna, że jest naprawdę sama, a jemu wydawało się, że odszedł od żony. Najpierw była nim tylko zakłócona, potem oczarowana, dwa miesiące później pogodnie obłąkana. Gdy po wspólnej nocy we Wrocławiu zadzwonił któregoś dnia do niej do biura i zapytał, czy wprowadzi się do jego kawalerki na Mokotowie, odpowiedziała, że potrzebuje minimum godzinę czasu, aby się nad tym zastanowić. Przed upływem tej godziny zadzwonili do niej z jakiejś warszawskiej firmy od przeprowadzek. Do wielkiej ciężarówki, która na jego zlecenie zaparkowała na chodniku przed domem jej rodziców, wstawiła jedną podróżną torbę. Matka żegnała ją, jak gdyby wyjeżdżała na stałe na Antarktydę, a nie jedynie do innej dzielnicy Warszawy. Ojca niewiele to obchodziło. Gdy tak stały przy tej ciężarówce, zrozumiała nagle, dlaczego matka przez całe życie miała smutne oczy.

Wprowadziła się do wolnej od innych kobiet przestrzeni, naznaczonej jego zapachem. Materac na podłodze tuż przy biurku z komputerem, pusta lodówka z butelką białego wina i słoikiem musztardy, jego maszynka do golenia i jeden ręcznik w łazience, nie wyprasowane koszule w plastikowym koszu na środku pokoju, doniczka z nie podlewaną od wieków paprotką pod oknem, dwa krzesła z przewieszonymi marynarkami jego garniturów, karton z zeschniętą pizzą na blacie kuchni. Nie ma nic bardziej własnego niż mężczyzna, którym trzeba się zaopiekować. Przez cztery miesiące opiekowali się sobą nawzajem. Kochali się na materacu, który, przedziurawiony, puszczał powietrze wypychane naciskiem ich ciał, ona czekała na niego z obiadem, po którym szli do łazienki, aby wziąć prysznic i znowu wrócić na materac. Popadła w bezgraniczną pychę. Patrzyła z wyższością i litością na tych, którzy nie byli dotknięci takim szczęściem.

Po czterech miesiącach wstydziła się tej pychy. Wszystko zaczęło się zmieniać. Materac zniknął i zastąpiło go łóżko. Pojawiły się meble. Zaraz potem zaczęło powstawać obok jej nie rozpakowanej ciągle torby sanktuarium jego dzieci. Pierwsze fotografie na ścianach, pierwsze ich wizyty. Pierwsze weekendy, gdy nie miał dla niej czasu. Pierwsza przepłakana

Wigilia spędzona w odurzonej alkoholem samotności. Pierwsze pełne butnej wyższości telefony od jego żony. Pierwsza poniżająca ją wulgarna nienawiść jego aroganckiej osiemnastoletniej córki, wykrzykującej w jej kierunku: „Teraz ojciec rżnie ciebie, ale i ty się wkrótce zestarzejesz". Pierwsze, rozdmuchane do granic pikantnego biurowego skandalu miesiąca, plotki na korytarzach jej firmy. Pierwszy niepokój i łzy matki.

Trzeba mieć ogromną wolę — no właśnie, tylko czego: kłamstwa, godności, determinacji? — aby w tym trwać. Obojętnie, co to jest, taką wolę mają tylko wyjątkowi ludzie. Albo bardzo zakochani. Była bardzo zakochana, ale nie była jego kochanką. Była jego kobietą. Jeśli szacunek, współczucie i słuszność mają zawsze zdradzani, to właśnie jej — a nie jego żonie — się to wszystko należy. Jeśli ktokolwiek zdradzał kogokolwiek z kimkolwiek, to on zdradzał ją ze swoją przeszłością, w której jej przecież nigdy nie było. Uwiódł ją obietnicą wspólnej przyszłości, okradł ją z marzeń i któregoś ranka obudziła się w trakcie przerażającego snu, całkiem naga, drżąc z zimna.

Zdążyła przed upływem dziesięciu minut. Na lotnisku wyjęła kartę ze swojego telefonu...

Talidomid

Postać prawoskrętna

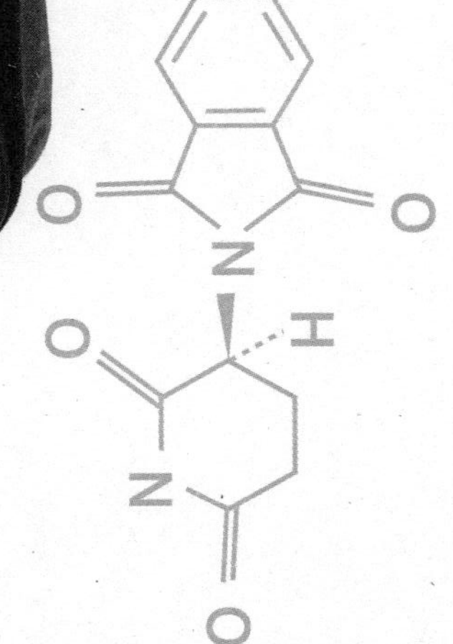

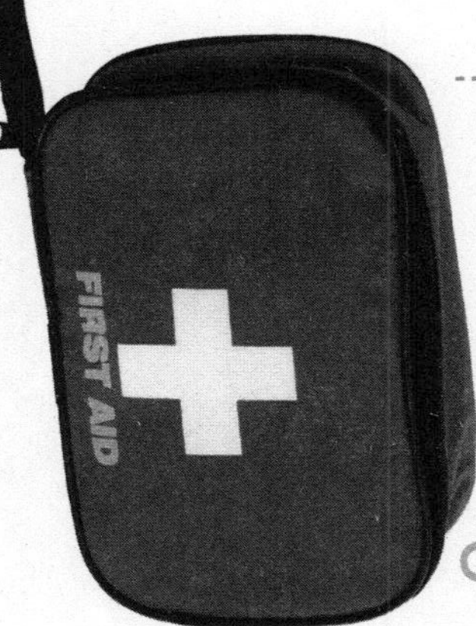

Jeśli istnieją dzieci gorszego Boga, to ona jest z pewnością jednym z nich. Tak myślała, dopóki wierzyła, że istnieje ktoś taki jak Bóg. Od ośmiu miesięcy – żaden Bóg, nawet ten gorszy, nie pomyliłby się przecież dwa razy — wierzy jedynie w przeznaczenie, które uczyniło z jej życia przewrotną, tragiczną farsę. Wierzy także lekarzom, którzy niezależnie od Boga i zupełnie ignorując przeznaczenie, przedłużają — jak w jakiejś komputerowej grze — jej życie i są zdumieni, gdy na kolejnych slajdach z tomografu guz w jej mózgu maleje. Wywieszają te slajdy na podświetlonych ekranach i mierzą linijką przypuszczalną długość jej życia. Każdy brakujący od ostatniego skaningu milimetr to dwa, może trzy dodatkowe miesiące. Potem profesor podchodzi do niej, bierze delikatnie w swoje dłonie krótki kikut tego, co miało być jej prawą ręką, i zaczyna opowiadać to, co ona wie, odkąd postawili jej diagnozę: „Glejak wielopostaciowy charakteryzuje się wzrostem naciekającym, intensywną migracją i szybkim szerzeniem się nowotworu w obrębie otaczającej tkanki nerwowej. Następuje naciekanie wzdłuż włókien nerwowych, naczyń krwionośnych, opon miękkich, wokół komórek nerwowych; ten typ wzrostu guza utrudnia całkowitą chirurgiczną resekcję glejaka". Ona nie ma pojęcia, co to są „opony miękkie", rozumie, że nie można tego guza wyciąć skalpelem, ale dokładnie wie, że odkąd zaczęła łykać talidomid, to znowu chciałaby chodzić. Nie chodziła od urodzenia. Nie wie, jak to jest samemu przejść od punktu A do punktu B. Ale zawsze tęskniła za punktem B. Odkąd znaleźli glejaka w jej mózgu, zapomniała o punkcie B. Chciała pozostać i trwać jak najdłużej w punkcie A. Po tym, jak stwierdzono brak czwartego milimetra na slajdzie, znowu chce do B. Znowu ma marzenia. Czasami rozmawia o nich w Sieci z takimi jak ona. Marzycielami bez rąk i nóg, przytwierdzonymi do miejsca, w którym ostatnio pozostawiono ich wózek inwalidzki. „Jakie ty masz marzenia?" — zapytał ją kiedyś chłopak z Kanady. Jak to jakie — odpowiedziała — takie jak każdy, chcę wejść na Kilimandżaro i zatańczyć salsę na Kubie. To dużo?! Niech ci będzie, chciałabym chociaż raz przejść o własnych siłach do łazienki i nie sikać w pampersy...

Talidomid... Najbardziej znienawidzony lek na świecie. Wie o nim wszystko. Pochodna kwasu glutaminowego, występuje w dwóch odmianach stereochemicznych, jego postać prawoskrętna wywołuje szkodliwe działanie, a lewoskrętna jest skutecznym lekiem uspokajającym, zsyntetyzowany w 1954 roku przez biochemika koncernu Grünenthal z Akwizgranu, wprowadzony na rynek w 1956 roku w Niemczech, masowo sprzedawany jako „bezpieczny preparat uspokajający, szczególnie dla kobiet w ciąży, nie wpływający na koordynację ruchową i nie upośledzający funkcji układu oddechowego". Tylko w Niemczech w ciągu jednego roku 1960 sprzedano ponad czternaście i pół tony talidomidu. Jej matka w styczniu 1961 roku wykupiła na receptę przepisaną przez ginekologa osiemset miligramów tego leku. Gdy łykała wieczorami białe tabletki, była z nią w ciąży, chciała spać i chociaż we śnie zapomnieć, że urodzi córkę bez ojca, który stanowczo zażądał, aby ją „usunęła" za dwieście marek u znajomego lekarza. Urodziła się normalnie, ale nie była normalna. Nie miała palców u rąk, miała zniekształcone, o wiele za krótkie nogi, zakończone czymś, co przypominało niewykształcone płetwy. Gdy pierwszy raz modliła się do Boga, aby zapytać, „dlaczego właśnie ona?", nie mogła złożyć dłoni w modlitwie. Bo ich nie miała. Krótkie, piętnastocentymetrowe kikuty bez dłoni, wyrastające z jej ramion, nie mogły zetknąć się w geście modlitwy. Gdy miała siedem lat, w maju 1968 roku, matka wepchnęła jej wózek inwalidzki do sali sądu w Akwizgranie. Z resztkami rąk bez dłoni i odsłoniętymi na ten dzień nogami bez stóp była koronnym dowodem przeciwko siedmiu mężczyznom z firmy, która w zachłannym dążeniu do zysku, zaniedbując wymagane testy kliniczne, sprzedawała w aptekach nieszczęście. Dzięki dziennikarzom, którzy fotografowali w każdym możliwym zbliżeniu jej kalectwo i przekazali swój materiał na pierwsze strony gazet, stała się najbardziej znaną ofiarą talidomidu. Jednym z ponad dwudziestu tysięcy zdeformowanych dzieci, urodzonych w czterdziestu sześciu krajach na świecie pomiędzy 1956 i 1961 rokiem przez matki zażywające talidomid w czasie ciąży.

Osiem miesięcy temu zdiagnozowano glejaka w jej mózgu. Po chemioterapii straciła najpierw włosy, a potem nadzieję. Dwa miesiące temu profesor wrócił z kongresu w Denver i z lotniska we Frankfurcie zadzwonił do niej w nocy, pytając, czy zgodzi się na leczenie talidomidem. Następnego dnia rano w szpitalu podpisała odpowiednie dokumenty i połknęła pierwszą tabletkę. Wczoraj, po badaniach, dodali jej znowu dwa milimetry życia...

Notka redakcyjna

Zebrane w niniejszym tomie teksty były drukowane na łamach miesięcznika „Pani” w latach 2005–2006.

Spis treści

Wydanie pierwsze

Redaktor prowadzący
Anita Kasperek

Redakcja
Renata Bubrowiecka

Zdjęcie na pierwszej stronie okładki
James L. Amos

Zdjęcie autora
Studio MELON/K. Opaliński

Opracowanie graficzne
Anna Pol

Redaktor techniczny
Bożena Korbut

Printed in Poland
Wydawnictwo Literackie Sp. z o.o., 2006
ul. Długa 1, 31-147 Kraków
bezpłatna linia telefoniczna: 0 800 42 10 40
księgarnia internetowa: www.wydawnictwoliterackie.pl
e-mail: ksiegarnia@wydawnictwoliterackie.pl
fax: (+48-12) 430 00 96
tel.: (+48-12) 619 27 70
Skład i łamanie: Scriptorium „TEXTURA"
Druk i oprawa: Poznańskie Zakłady Graficzne S.A.

ISBN 83-08-03902-2

JANUSZ L.
WIŚNIEWSKI
INTYMNA TEORIA WZGLĘDNOŚCI